POÈMES SATURNIENS

suivi de

FÊTES GALANTES

Paru dans Le Livre de Poche :

LA BONNE CHANSON, *suivi de* ROMANCES SANS PAROLES, *et* SAGESSE.

PAUL VERLAINE

Poèmes saturniens

suivi de

Fêtes galantes

PRÉFACE DE LÉO FERRÉ

NOTES ET COMMENTAIRES
DE CLAUDE CUÉNOT
DOCTEUR ÈS LETTRES

LE LIVRE DE POCHE

Claude Cuénot est né le 27 mars 1911 à Nancy (Meurthe-et-Moselle). Fils du biologiste Lucien Cuénot, membre de l'Institut, il est lui-même ancien élève de l'École Normale Supérieure (ex-æquo du président Pompidou), agrégé de grammaire en 1934, docteur ès lettres en 1952, auteur d'une thèse sur *Le style de Paul Verlaine* (1963) et de divers livres devenus classiques sur Pierre Teilhard de Chardin.

PRÉFACE

Les oiseaux que l'on regarde, à la mer, à l'abri d'une vitre, font des signes désespérés, du moins nous les croyons tels, car la matière qu'il y a entre nous et eux favorise la dissertation et le songe, et nous désirons voir, dans leur géométrie alimentaire ou simplement discursive, une oraison, un doute, une histoire. Le désespoir des grands oiseaux marins est pareil à celui des poètes. Trop loin de nous, dans un azur que nous touchons du doigt et de la pensée, ils ont l'air de n'ÊTRE que pour nous, pour notre sieste, nos bavardages, notre méditation. Rien n'existe en poésie que ce qu'on veut bien y apporter. La musique des vers comme celle des battements d'ailes est tributaire de l'instant. L'oiseau est prisonnier de son vol. Le poète l'est du sien, je veux dire d'une orthographe, d'une prosodie, d'un rythme. L'Art est une prison sans barreaux dont on ne s'évade point : le *spleen est un geôlier, la douleur un brouet de larmes, la technique des fers de dentelles. Lire les* Saturniens *et les* Fêtes galantes *cela veut dire : soulever un voile et regarder une ombre qui vous exécute. Le bourreau est bien celui que l'on croit enchaîné, il vous pénètre, vous ensorcelle, vous plie. O la Grande Misère du lecteur assidu et qui retourne à la drogue, à l'heure du « manque » et qui sait bien que ses voix chères ne se tairont jamais, les voix du chevet, sous la lampe camarade, au bout d'une éphéméride trompeuse.*

Le poète est un ingénieur du mot, un patient aussi qui sait souffrir sous la phrase. Dire que Verlaine a innové et souffert en poétique est un truisme. Villon, Ronsard, Racine, Hugo, Baudelaire ont innové et souffert de même. Ils ont donné aux paroles une assise, une vocation, un bien-être dont nous nous émerveillons jour après jour, quand elles coulent entre nos dents. Les techniques étaient éprouvées dès la fin du Moyen Age : plus rien n'est à inventer, tout est à dire...

Lorsque Verlaine éditait à compte d'auteur les Poèmes saturniens, *il n'était pas Verlaine, mais un homme-écrivain qui sonnait une heure décisive, quelque part, cette heure que nous revivons aujourd'hui, derrière la vitre d'une n^{ieme} édition. Verlaine c'était déjà l'Autre, le poète c'est les autres, c'est l'avenir. Le poète écrit de* *l'autre côté de la vie, avant la vie. Il est entre deux stades. Il est à cloche-pied : l'un rivé à terre, l'autre dans un univers non gravité, et pour l'approcher, il faut nous démunir de notre carcasse d'homme, sinon la pesanteur nous dément et nous éloigne de lui.*

Verlaine, dans les dernières années de sa vie, avait un bâton qui conversait lourdement avec des ombres, au ras du sol. Il savait qu'il piochait dans un no man's land bizarre et qu'il avait une jambe malade dans la tête. A défaut d'ailes coupées, il donnait le change et boitait... Un poète, ça boite toujours un peu.

La situation littéraire de Verlaine est branchée sur le fait divers. Cela est inconcevable, mais derrière chacun de ses vers la critique fait besogne de voyeur. Derrière les paroles qu'il a travesties on voit Lucien Viotti ou Rimbaud, ou Lettinois, on nous les montre. Le critique s'y pourlèche et le lecteur, d'abord inquiet, se désespère et finit par lâcher prise. A croire que l'histoire littéraire sacrifie à cette mythologie contemporaine de l'alcôve qui fait vivre certains journalistes tapis sur les descentes de lit ou l'œil borgne fouinant le trou de serrure. On en a trop dit : Savoir ce qu'il a vécu de drames, de hontes, de repentirs ineptes, sur une route verte d'absinthe et d' « espère », comme il l'a écrit, savoir qu'il a traîné son ombre gigantesque et titubante sur ce qui s'est fait de

*mieux en poésie à la fin du XIX⁰ siècle — et cela pour
quelques initiés, tel Mallarmé qui l'admira beaucoup —,
savoir tout cela, son divorce poussif y compris, et
Bruxelles, et sa mère mi-complaisante, mi-résignée, et la
vieille Krantz, savoir tout de l'anecdote, du ragot, et faire
le point, et dire qu'il est un des plus grands poètes français, ni parnassien, ni symboliste, ni rien dont on puisse
retrouver des accents dans la poétique actuelle, savoir
aussi qu'en 1960 il a « l'inflexion des voix chères qui se
sont tues » et qui ne se taisent pas si tel est notre vouloir
de l'œil et de l'âme, et qu'aucun artisan du poème « en
forme » ne peut écrire sans en référer à ce pauvre Lélian,
savoir tout de l'inutile et pénétrer dans le « vierge et le
vivace » de son vers, voilà bien de quoi nous déconcerter
et ranimer en même temps la flamme du lecteur assoupi
et paresseux.*

Il a pris le vers français à la sortie des **Fleurs du Mal**
*et l'a planté dans notre siècle. On dirait que Verlaine
s'est penché avec sa plume au bout d'un XIX⁰ essoufflé,
et qu'il a lancé son généreux venin, comme un athlète
lance le javelot vers ce qu'il croit être l'au-delà du
stade.*

*Le poète croit toujours en un au-delà littéraire. Je ne
parle pas de postérité — la postérité encombre les ma-
nuels du bachot — mais d'un possible spatial, d'un*

« music-land » où les mots ni les sons ne se différencient, où s'étalent en une brume liante les mets les plus délicats de l'âme. Les âmes mangent, quelque part, des miettes de beauté. La seule vertu de la poésie est d'extravaguer à la recherche de l'ovule... Faire rêver « les cervelles humaines », tel fut le vœu de Baudelaire, tel est l'objectif de chaque poète, tel est celui de Verlaine certes, dans ce livre « saturnien » et « galant » qui s'ouvrira comme une femme, si tu le veux, lecteur, si tu le veux.

Le poète donne le charme. Au lecteur d'y prendre sa pâture. Il n'y a jamais qu'une poésie et il y a mille façons de la lire, de l'écouter sortir de la page typographiée et chanter, si l'oiseau de l'œil sait accommoder. Il est des heures propices où le plus désolé des Saturniens nous empoigne, nous contourne, sans qu'il soit besoin d'insister sur les intentions de Verlaine à tel moment de la composition, à tel autre de la mise en pages ou sur les données astrologiques dont s'empare la critique littéraire lorsqu'elle est désarmée.

Que m'importe si, au dire de l'ami Lepelletier, la plupart des Saturniens sont le fruit d'un lent et sérieux travail, sans aucune donnée anecdotique, que m'importent les intéressantes démonstrations de Jacques-Henry Bornecque dans un livre complet et amical qu'il a écrit à *propos des Saturniens[1], qui tendent à me prouver qu'il faut chercher la Femme et que, cherchant, il la trouve, pauvre cousine Elisa Moncomble, morte jeune encore et qui avait assumé les frais d'impression de l'ouvrage. On sait ce que cela veut dire : le dédicataire fait souvent les frais de la dédicace. Est-elle cette femme du Rêve familier? Il y a toujours, quelque part, une femme pour qui écrit, pour qui sait lire. La femme est avant le poème, elle coule dans les veines de l'artiste. Verlaine était androgyne, il l'a clamé sur la place publique, et l'on ne se fait pas faute de le rappeler à chaque coin de ligne le concernant. Les autres poètes, tous les autres, sont aussi des androgynes. La plupart en font secret : ils ont honte de la Femme qu'ils portent en eux. Dans les Saturniens, une femme veille :*

« Nous étions seul à seule et marchions en rêvant... » Le poète devait promener son double ce jour-là, puisque, Lepelletier dixit ou à peu près, les Saturniens ne sont qu'un exercice de style!

Verlaine est entré dans la littérature en sublimant Saturne. On sait, au reste, qu'en astrologie tout est minuté et que l'âme est astreinte à la carte du ciel comme est astreint l'automobiliste, dans une contrée mal connue, à la carte routière. Sur la route-Verlaine il y avait

---

1. J.-H. BORNECQUE : *Poèmes saturniens*, Paris, Nizet, 1952.

Saturne, du moins s'en était-il persuadé. Il n'a point dédaigné la « fauve planète », car « ceux-là qui sont nés sous (son) signe ont, entre tous,

« *Bonne part de malheur et bonne part de bile* »... *dit-il. Il s'y complaît. La complaisance dans le malheur est un signe évident dans la création artistique. Le malheur luit, devant soi, l'on s'y jette et l'on s'y damne. Il n'est de beauté que dans la tristesse, aussi diversement sexuée soit-elle... Verlaine était beau comme Saturne.*

« *Hypocrite lecteur — mon semblable, — mon frère!* » *disait Baudelaire, son bouquet de fleurs malades tout lié et prêt au sacrifice.*

« *Maintenant, va, mon Livre, où le hasard te mène* », *note Verlaine, et c'est le dernier vers du prologue des* Saturniens.

Qu'il y ait une rencontre d'intention, nul n'en peut douter, et ce qui est lucide et glacé chez l'un, fait place à un sentiment de démission chez l'autre, à un lâchage liminaire. C'est encore Saturne qui le met en cet état. L'homme prouvera tout au long d'une vie difficile que croire en un destin malheureux ou tragique, équivaut à faire soi-même ce destin, à s'y laisser murer. Baudelaire était de marbre. Verlaine variait avec la lune.

Si **Les Fleurs du Mal** *poussent encore au seuil des poésies verlainiennes, c'est que leur* « *rhétorique pro-*

fonde », *comme on l'a dit, encombrait tout ce qui se faisait dans les jardins tout proches d'elles. Comment
regarder un ciel malade, une femme furtive, comment
sentir un parfum lourd, comment être soi-même devant
la beauté cynique des « fleurs » de 1857, alors que l'on est
un jeune poète, dans la boutique des césures et de
l'hiatus, et de tout le reste des impératifs formels qui font
d'abord du poète un versificateur, un ouvrier. En prenant
le vers à la sortie des* **Fleurs du Mal** *pour le lancer à nos
figures, un peu du pollen baudelairien a saupoudré les
premiers vers de Lélian. Il plane ainsi, quelquefois, dans
les* **Saturniens** *surtout, beaucoup plus que dans les* **Fêtes
galantes**, *l'ombre de 1857 dont les « soleils mouillés » se
souviendront longtemps, même au-delà de Verlaine, dans
notre siècle. Le seul désespoir des soleils est bien cette
ombre qui les poursuit, comme le serpent d'Apollinaire.*

Il n'est que de pénétrer dans les **Saturniens** *pour
comprendre que le malheur est un engagement, que c'est
parfois un métier, puisque écrire est un métier et que
la page blanche accueille les comptes de blanchisseuse
aussi bien que l'hexamètre! La raison d'être du poète?
La voilà : la page blanche, la plume, le mot. Le reste est
anecdote. Il faut bien se résoudre à voir Verlaine, à un
certain moment, en marge de ses aventures et lissant ses
pensées, les polissant, oui, selon le docte Boileau, gratter*

le manuscrit avec son âme et son cœur au bout de la main, avec aussi l'esprit critique, suprême solitude de l'artiste qui ne s'embarrasse plus du quotidien et qui travaille. Les techniques sont froides comme est froide la « Muse », invention idiote et qui justifie un certain laisser-aller dans l'habillement, une hâte à ne pas manger deux fois par jour comme tout le monde, et cet air évasif coulant des cheveux longs de ces personnages patibulaires qu'on dit « poètes », avec cette indifférence amusée qui les fait justement différer du commun. Ils s'habillent mal parce qu'ils n'ont pas d'argent, ils ont les cheveux longs parce que l'échoppe du coiffeur est un enfer imbécile. Le seul véritable problème du poète est le problème du style.

Le vers français a tout donné de ses possibilités de structures. La rime, qu'est-ce donc que la rime sinon ce mot borgne à la fin de la ligne et qui ne voit jamais que d'un seul côté? Le rythme? Qu'avons-nous à apprendre de neuf sur le rythme depuis les Grecs? La césure? L'enjambement?...

> *« Beaux enfants, vous perdez la plus*
> *Belle rose de vo chappeau;*
> *Mes clers pres prenans comme glus,*
> *Se vous alez a Montpipeau. »*

Villon était déjà dans l'escalier d'Hernani! Plus rien n'est à inventer... Tout est à dire.

Le style, c'est cette frange d'âme qui tient conseil avec le poète et qui fait « les sanglots longs des violons de l'automne ». Le style, c'est cette qualité profonde, immé-ritée, qui tranche sur l'humain et qui nous fait coudre des ailes aux bras des poètes. Le style, c'est :

« Votre âme est un paysage choisi. »

Le style, ça n'est pas d'avoir sous-titré de Melancholia, de Paysages tristes et de Caprices les poèmes enrobés de Saturne, le style ça n'est pas non plus l'ombre dix-hui-tième d'un Watteau littéraire et en mal de cimaise, le style c'est tout ce qui coule, sans un bruit inutile, comme une bénédiction :

« Et la nuit seule entendit leurs paroles. »

La vie de Verlaine est un malentendu. Homme il aima la Femme, femme il aima les hommes. Entre-temps, il écrivit. Le malentendu réside dans les stations entre les sexes. Si je rappelle ces détails biographiques, ce n'est que pour m'émerveiller de la duplicité, pour ne pas dire de la multiplicité. Mathilde, Rimbaud, Lettinois, la vieille Krantz : il commence par une pucelle et finit avec

*une putain hors métier. Entre-temps il aima, follement,
et c'est cet Amour qui m'intéresse, cet Amour qui était
pur, n'en déplaise aux spécialistes du détail piquant, des
passions qui deviennent l' « ordure » dans le journal ou
la revue, dans le lit aussi, quand les lampes s'allument
pour les désordres de la nuit. Les poètes, quand ils vivent,
on les bat, on les moque, on les met en prison. Quand ils
sont morts, on fouille dans leur vie, de préférence avec
un groin de cochon, on fouille du côté de ce que l'on a
convenu d'appeler le « péché ». Verlaine, quelle cible
merveilleuse pour ces soupeurs d'un genre spécial! On
mange du Verlaine encore, dans la littérature où certains
profs font des mines, et des « passons-là-dessus », et des
et cætera où l'on s'attarde et dont on parle au café, après
le cours, ou en petites notes et variantes à la fin du
volume, en catimini, car il faut bien entretenir la flamme
de l'irrespect et des « bonnes traditions ».*

*Ce livre que tu as entre les mains, lecteur, est une
magie. Il a été écrit par un poète nommé Verlaine et dont
il doit peu t'importer qu'il ait été ceci, cela, qu'il ait
vécu ici ou là, qu'il ait ri, qu'il ait pleuré, qu'il ait
grogné. Un poète, en définitive, ça grogne, et voilà qui
dérange les « bonnes âmes ». Dans les grognements des
poètes, comme dans ceux des chiens, il passe un peu de
cette innocence qui remet en question notre condition*

d'homme, car, à la vérité, les poètes ne sont pas des hommes. Des anges?... Pourquoi pas? Les anges, par là-bas, couchent avec des anges, et l'on imagine qu'il n'est pas d'interdit dans ce pays où les étoiles n'ont pas de sexe, où les enfers n'ont plus de saisons, où l'anneau des fiançailles tourne la tête à Saturne.

LÉO FERRÉ.

POÈMES SATURNIENS

Les Sages d'autrefois, qui valaient bien ceux-ci,
Crurent, et c'est un point encor mal éclairci,
Lire au ciel les bonheurs ainsi que les désastres,
Et que chaque âme était liée à l'un des astres.
(On a beaucoup raillé, sans penser que souvent
Le rire est ridicule autant que décevant,
Cette explication du mystère nocturne.)
Or ceux-là qui sont nés sous le signe SATURNE,
Fauve planète, chère aux nécromanciens,
Ont entre tous, d'après les grimoires anciens,
Bonne part de malheur et bonne part de bile.
L'Imagination, inquiète et débile,
Vient rendre nul en eux l'effort de la Raison.
Dans leurs veines le sang, subtil comme un poison,
Brûlant comme une lave, et rare, coule et roule
En grésillant leur triste Idéal qui s'écroule.

Tels les Saturniens doivent souffrir et tels
Mourir, — en admettant que nous soyons mortels, —
Leur plan de vie étant dessiné ligne à ligne
Par la logique d'une Influence maligne.

P. V.

PROLOGUE

Dans ces temps fabuleux, les limbes de l'histoire,
Où les fils de Raghû, beaux de fard et de gloire,
Vers la Ganga régnaient leur règne étincelant,
Et, par l'intensité de leur vertu troublant
Les Dieux et les Démons et Bhagavat lui-même,
Augustes, s'élevaient jusqu'au Néant suprême,
Ah! la terre et la mer et le ciel, purs encor
Et jeunes, qu'arrosait une lumière d'or
Frémissante, entendaient, apaisant leurs murmures
De tonnerres, de flots heurtés, de moissons mûres,
Et retenant le vol obstiné des essaims,
Les Poètes sacrés chanter les Guerriers saints,
Cependant que le ciel et la mer et la terre
Voyaient — rouges et las de leur travail austère —
S'incliner, pénitents fauves et timorés,
Les Guerriers saints devant les Poètes sacrés!
Une connexité grandiosement calme
Liait le Kchatrya serein au Chanteur alme,

Valmiki l'excellent à l'excellent Rama :
Telles sur un étang deux touffes de padma.

— Et sous tes cieux dorés et clairs, Hellas antique,
De Sparte la sévère à la rieuse Attique,
Les Aèdes, Orpheus, Alkaïos, étaient
Encore des héros altiers et combattaient.
Homéros, s'il n'a pas, lui, manié le glaive,
Fait retentir, clameur immense qui s'élève,
Vos échos jamais las, vastes postérités,
D'Hektôr et d'Odysseus, et d'Akhilleus chantés.
Les héros à leur tour, après les luttes vastes,
Pieux, sacrifiaient aux neuf Déesses chastes,
Et non moins que de l'art d'Arès furent épris
De l'Art dont une Palme immortelle est le prix,
Akhilleus entre tous! Et le Laërtiade
Dompta, parole d'or qui charme et persuade,
Les esprits et les cœurs et les âmes toujours,
Ainsi qu'Orpheus domptait les tigres et les ours.
— Plus tard, vers des climats plus rudes, en des ères
Barbares, chez les Francs tumultueux, nos pères,
Est-ce que le Trouvère héroïque n'eut pas
Comme le Preux sa part auguste des combats?
Est-ce que, Théroldus ayant dit Charlemagne,
Et son neveu Roland resté dans la montagne,

Et le bon Olivier de Turpin au grand cœur,
En beaux couplets et sur un rhythme âpre et vainqueur,
Est-ce que, cinquante ans après, dans les batailles,
Les durs Leudes perdant leur sang par vingt entailles,
Ne chantaient pas le chant de geste sans rivaux
De Roland et de ceux qui virent Roncevaux
Et furent de l'énorme et superbe tuerie,
Du temps de l'Empereur à la barbe fleurie?

— Aujourd'hui, l'Action et le Rêve ont brisé
Le pacte primitif par les siècles usé,
Et plusieurs ont trouvé funeste ce divorce
De l'Harmonie immense et bleue et de la Force.
La Force, qu'autrefois le Poète tenait
En bride, blanc cheval ailé qui rayonnait,
La Force, maintenant, la Force, c'est la Bête
Féroce bondissante et folle et toujours prête
A tout carnage, à tout dévastement, à tout
Egorgement, d'un bout du monde à l'autre bout!
L'Action qu'autrefois réglait le chant des lyres,
Trouble, enivrée, en proie aux cent mille délires
Fuligineux d'un siècle en ébullition,
L'Action à présent, — ô pitié! — l'Action,
C'est l'ouragan, c'est la tempête, c'est la houle
Marine dans la nuit sans étoiles, qui roule

Et déroule parmi les bruits sourds l'effroi vert
Et rouge des éclairs sur le ciel entr'ouvert?

— Cependant, orgueilleux et doux, loin des vacarmes
De la vie et du choc désordonné des armes
Mercenaires, voyez, gravissant les hauteurs
Ineffables, voici le groupe des Chanteurs
Vêtus de blanc, et des lueurs d'apothéoses
Empourprent la fierté sereine de leurs poses :
Tous beaux, tous purs, avec des rayons dans les yeux,
Et sous leur front le rêve inachevé des Dieux!
Le monde, que troublait leur parole profonde,
Les exile. A leur tour ils exilent le monde!
C'est qu'ils ont à la fin compris qu'il ne faut plus
Mêler leur note pure aux cris irrésolus
Que va poussant la foule obscène et violente,
Et que l'isolement sied à leur marche lente.
Le Poète, l'Amour du Beau, voilà sa foi,
L'Azur, son étendard, et l'Idéal, sa loi!
Ne lui demandez rien de plus, car ses prunelles,
Où le rayonnement des choses éternelles
A mis des visions qu'il suit avidement,
Ne sauraient s'abaisser une heure seulement
Sur le honteux conflit des besognes vulgaires
Et sur vos vanités plates; et si naguères

On le vit au milieu des hommes, épousant
Leurs querelles, pleurant avec eux, les poussant
Aux guerres, célébrant l'orgueil des Républiques
Et l'éclat militaire et les splendeurs auliques
Sur la kithare, sur la harpe et sur le luth,
S'il honorait parfois le présent d'un salut
Et daignait consentir à ce rôle de prêtre
D'aimer et de bénir, et s'il voulait bien être
La voix qui rit ou pleure alors qu'on pleure ou rit,
S'il inclinait vers l'âme humaine son esprit,
C'est qu'il se méprenait alors sur l'âme humaine.

— Maintenant, va, mon Livre, où le hasard te mène.

MELANCHOLIA

A Ernest Boutier.

RÉSIGNATION

Tout enfant, j'allais rêvant Ko-Hinnor,
Somptuosité persane et papale
Héliogabale et Sardanapale!

Mon désir créait sous des toits en or,
Parmi les parfums, au son des musiques,
Des harems sans fin, paradis physiques!

Aujourd'hui, plus calme et non moins ardent,
Mais sachant la vie et qu'il faut qu'on plie,
J'ai dû refréner ma belle folie,
Sans me résigner par trop cependant.

Soit! le grandiose échappe à ma dent,
Mais, fi de l'aimable et fi de la lie!
Et je hais toujours la femme jolie,
La rime assonante et l'ami prudent.

II

NEVERMORE

Souvenir, souvenir, que me veux-tu? L'automne
Faisait voler la grive à travers l'air atone,
Et le soleil dardait un rayon monotone
Sur le bois jaunissant où la bise détone.

Nous étions seul à seule et marchions en rêvant,
Elle et moi, les cheveux et la pensée au vent.
Soudain, tournant vers moi son regard émouvant :
« Quel fut ton plus beau jour? » fit sa voix d'or vivant,

Sa voix douce et sonore, au frais timbre angélique.
Un sourire discret lui donna la réplique,
Et je baisai sa main blanche, dévotement.

— Ah! les premières fleurs, qu'elles sont parfumées!
Et qu'il bruit avec un murmure charmant
Le premier *oui* qui sort de lèvres bien-aimées!

APRÈS TROIS ANS

Ayant poussé la porte étroite qui chancelle,
Je me suis promené dans le petit jardin
Qu'éclairait doucement le soleil du matin,
Pailletant chaque fleur d'une humide étincelle.

Rien n'a changé. J'ai tout revu : l'humble tonnelle
De vigne folle avec les chaises de rotin...
Le jet d'eau fait toujours son murmure argentin
Et le vieux tremble sa plainte sempiternelle.

Les roses comme avant palpitent; comme avant,
Lés grands lys orgueilleux se balancent au vent,
Chaque alouette qui va et vient m'est connue.

Même j'ai retrouvé debout la Velléda,
Dont le plâtre s'écaille au bout de l'avenue,
— Grêle, parmi l'odeur fade du réséda.

VŒU

Ah! les oaristys! les premières maîtresses!
L'or des cheveux, l'azur des yeux, la fleur des chairs,
Et puis, parmi l'odeur des corps jeunes et chers,
La spontanéité craintive des caresses!

Sont-elles assez loin, toutes ces allégresses
Et toutes ces candeurs! Hélas! toutes devers
Le Printemps des regrets ont fui les noirs hivers
De mes ennuis, de mes dégoûts, de mes détresses!

Si que me voilà seul à présent, morne et seul,
Morne et désespéré, plus glacé qu'un aïeul,
Et tel qu'un orphelin pauvre sans sœur aînée.

O la femme à l'amour câlin et réchauffant,
Douce, pensive et brune, et jamais étonnée,
Et qui parfois vous baise au front, comme un enfant!

V

LASSITUDE

« A batallas de amor campo de pluma. »
GONGORA.

De la douceur, de la douceur, de la douceur!
Calme un peu ces transports fébriles, ma charmante.
Même au fort du déduit parfois, vois-tu, l'amante
Doit avoir l'abandon paisible de la sœur.

Sois langoureuse, fais ta caresse endormante,
Bien égaux tes soupirs et ton regard berceur.
Va, l'étreinte jalouse et le spasme obsesseur
Ne valent pas un long baiser, même qui mente!

Mais dans ton cher cœur d'or, me dis-tu, mon enfant,
La fauve passion va sonnant l'olifant!...
Laisse-la trompetter à son aise, la gueuse!

Mets ton front sur mon front et ta main dans ma main,
Et fais-moi des serments que tu rompras demain,
Et pleurons jusqu'au jour, ô petite fougueuse!

MON RÊVE FAMILIER

Je fais souvent ce rêve étrange et pénétrant
D'une femme inconnue, et que j'aime, et qui m'aime,
Et qui n'est, chaque fois, ni tout à fait la même
Ni tout à fait une autre, et m'aime et me comprend.

Car elle me comprend, et mon cœur transparent
Pour elle seule, hélas! cesse d'être un problème
Pour elle seule, et les moiteurs de mon front blême,
Elle seule les sait rafraîchir, en pleurant.

Est-elle brune, blonde ou rousse? — Je l'ignore.
Son nom? Je me souviens qu'il est doux et sonore
Comme ceux des aimés que la Vie exila.

Son regard est pareil au regard des statues,
Et, pour sa voix, lointaine, et calme, et grave, elle a
L'inflexion des voix chères qui se sont tues.

VII

A UNE FEMME

A vous ces vers, de par la grâce consolante
De vos grands yeux où rit et pleure un rêve doux,
De par votre âme pure et toute bonne, à vous
Ces vers du fond de ma détresse violente.

C'est qu'hélas! le hideux cauchemar qui me hante
N'a pas de trêve et va furieux, fou, jaloux,
Se multipliant comme un cortège de loups
Et se pendant après mon sort qu'il ensanglante!

Oh! je souffre, je souffre affreusement, si bien
Que le gémissement premier du premier homme
Chassé d'Eden n'est qu'une églogue au prix du mien!

Et les soucis que vous pouvez avoir sont comme
Des hirondelles sur un ciel d'après-midi,
— Chère, — par un beau jour de septembre attiédi.

VIII

L'ANGOISSE

Nature, rien de toi ne m'émeut, ni les champs
Nourriciers, ni l'écho vermeil des pastorales
Siciliennes, ni les pompes aurorales,
Ni la solennité dolente des couchants.

Je ris de l'Art, je ris de l'Homme aussi, des chants,
Des vers, des temples grecs et des tours en spirales
Qu'étirent dans le ciel vide les cathédrales,
Et je vois du même œil les bons et les méchants.

Je ne crois pas en Dieu, j'abjure et je renie
Toute pensée, et quant à la vieille ironie,
L'Amour, je voudrais bien qu'on ne m'en parlât plus.

Lasse de vivre, ayant peur de mourir, pareille
Au brick perdu jouet du flux et du reflux,
Mon âme pour d'affreux naufrages appareille.

EAUX-FORTES

A François Coppée.

CROQUIS PARISIEN

La lune plaquait ses teintes de zinc
      Par angles obtus.
Des bouts de fumée en forme de cinq
Sortaient drus et noirs des hauts toits pointus.

Le ciel était gris. La bise pleurait
      Ainsi qu'un basson.
Au loin, un matou frileux et discret
Miaulait d'étrange et grêle façon.

Moi, j'allais, rêvant du divin Platon
      Et de Phidias,
Et de Salamine et de Marathon,
Sous l'œil clignotant des bleus becs de gaz.

CAUCHEMAR

J'ai vu passer dans mon rêve
— Tel l'ouragan sur la grève, —
D'une main tenant un glaive
Et de l'autre un sablier,
    Ce cavalier

Des ballades d'Allemagne
Qu'à travers ville et campagne,
Et du fleuve à la montagne,
Et des forêts au vallon,
    Un étalon

Rouge-flamme et noir d'ébène,
Sans bride, ni mors, ni rêne,
Ni hop! ni cravache, entraîne
Parmi des râlements sourds
    Toujours! Toujours!

Un grand feutre à longue plume
Ombrait son œil qui s'allume
Et s'éteint. Tel, dans la brume,
Eclate et meurt l'éclair bleu
     D'une arme à feu.

Comme l'aile d'une orfraie
Qu'un subit orage effraie,
Par l'air que la neige raie,
Son manteau se soulevant
     Claquait au vent,

Et montrait d'un air de gloire
Un torse d'ombre et d'ivoire,
Tandis que dans la nuit noire
Luisaient en des cris stridents
     Trente-deux dents.

MARINE

L'Océan sonore
Palpite sous l'œil
De la lune en deuil
Et palpite encore,

Tandis qu'un éclair
Brutal et sinistre
Fend le ciel de bistre
D'un long zigzag clair,

Et que chaque lame,
En bonds convulsifs,
Le long des récifs
Va, vient, luit et clame,

Et qu'au firmament,
Où l'ouragan erre,
Rugit le tonnerre
Formidablement.

IV

EFFET DE NUIT

La nuit. La pluie. Un ciel blafard que déchiquette
De flèches et de tours à jour la silhouette
D'une ville gothique éteinte au lointain gris.
La plaine. Un gibet plein de pendus rabougris
Secoués par le bec avide des corneilles
Et dansant dans l'air noir des gigues nonpareilles,
Tandis que leurs pieds sont la pâture des loups.
Quelques buissons d'épine épars, et quelques houx
Dressant l'horreur de leur feuillage à droite, à gauche,
Sur le fuligineux fouillis d'un fond d'ébauche.
Et puis, autour de trois livides prisonniers
Qui vont pieds nus, un gros de hauts pertuisaniers
En marche, et leurs fers droits, comme des fers de herse,
Luisent à contresens des lances de l'averse.

V

GROTESQUES

Leurs jambes pour toutes montures,
Pour tous biens l'or de leurs regards,
Par le chemin des aventures
Ils vont haillonneux et hagards.

Le sage, indigné, les harangue;
Le sot plaint ces fous hasardeux;
Les enfants leur tirent la langue
Et les filles se moquent d'eux.

C'est qu'odieux et ridicules,
Et maléfiques en effet,
Ils ont l'air, sur les crépuscules,
D'un mauvais rêve que l'on fait;

C'est que, sur leurs aigres guitares
Crispant la main des libertés,
Ils nasillent des chants bizarres,
Nostalgiques et révoltés;

C'est enfin que dans leurs prunelles
Rit et pleure — fastidieux —
L'amour des choses éternelles,
Des vieux morts et des anciens dieux!

— Donc, allez, vagabonds sans trêves,
Errez, funestes et maudits,
Le long des gouffres et des grèves,
Sous l'œil fermé des paradis!

La nature à l'homme s'allie
Pour châtier comme il le faut
L'orgueilleuse mélancolie
Qui vous fait marcher le front haut,

Et, vengeant sur vous le blasphème
Des vastes espoirs véhéments,
Meurtrit votre front anathème
Au choc rude des éléments.

Les juins brûlent et les décembres
Gèlent votre chair jusqu'aux os,
Et la fièvre envahit vos membres,
Qui se déchirent aux roseaux.

Tout vous repousse et tout vous navre,
Et quand la mort viendra pour vous,
Maigre et froide, votre cadavre
Sera dédaigné par les loups!

PAYSAGES TRISTES

A Catulle Mendès.

SOLEILS COUCHANTS

Une aube affaiblie
Verse par les champs
La mélancolie
Des soleils couchants.
La mélancolie
Berce de doux chants
Mon cœur qui s'oublie
Aux soleils couchants.
Et d'étranges rêves,
Comme des soleils
Couchants sur les grèves,
Fantômes vermeils,
Défilent sans trêves,
Défilent, pareils
A de grands soleils
Couchants sur les grèves.

CRÉPUSCULE DU SOIR MYSTIQUE

Le Souvenir avec le Crépuscule
Rougeoie et tremble à l'ardent horizon
De l'Espérance en flamme qui recule
Et s'agrandit ainsi qu'une cloison
Mystérieuse où mainte floraison
— Dahlia, lys, tulipe et renoncule —
S'élance autour d'un treillis, et circule
Parmi la maladive exhalaison
De parfums lourds et chauds, dont le poison
— Dahlia, lys, tulipe et renoncule —
Noyant mes sens, mon âme et ma raison
Mêle, dans une immense pâmoison,
Le Souvenir avec le Crépuscule.

PROMENADE SENTIMENTALE

Le couchant dardait ses rayons suprêmes
Et le vent berçait les nénuphars blêmes;
Les grands nénuphars, entre les roseaux,
Tristement luisaient sur les calmes eaux.
Moi, j'errais tout seul, promenant ma plaie
Au long de l'étang, parmi la saulaie
Où la brume vague évoquait un grand
Fantôme laiteux se désespérant
Et pleurant avec la voix des sarcelles
Qui se rappelaient en battant des ailes
Parmi la saulaie où j'errais tout seul
Promenant ma plaie; et l'épais linceul
Des ténèbres vint noyer les suprêmes
Rayons du couchant dans ces ondes blêmes
Et les nénuphars, parmi les roseaux,
Les grands nénuphars sur les calmes eaux.

NUIT DU WALPURGIS CLASSIQUE

C'est plutôt le sabbat du second Faust que l'autre,
Un rhythmique sabbat, rhythmique, extrêmement
Rhythmique. — Imaginez un jardin de Lenôtre,
    Correct, ridicule et charmant.

Des ronds-points; au milieu, des jets d'eau; des allées
Toutes droites; sylvains de marbre; dieux marins
De bronze; çà et là, des Vénus étalées;
    Des quinconces, des boulingrins;

Des châtaigniers; des plants de fleurs formant la dune;
Ici, des rosiers nains qu'un goût docte effila;
Plus loin, des ifs taillés en triangles. La lune
    D'un soir d'été sur tout cela.

Minuit sonne, et réveille au fond du parc aulique
Un air mélancolique, un sourd, lent et doux air
De chasse : tel, doux, lent, sourd et mélancolique,
   L'air de chasse de *Tannhäuser*.

Des chants voilés de cors lointains, où la tendresse
Des sens étreint l'effroi de l'âme en des accords
Harmonieusement dissonants dans l'ivresse;
   Et voici qu'à l'appel des cors

S'entrelacent soudain des formes toutes blanches,
Diaphanes, et que le clair de lune fait
Opalines parmi l'ombre verte des branches,
   — Un Watteau rêvé par Raffet! —

S'entrelacent parmi l'ombre verte des arbres
D'un geste alangui, plein d'un désespoir profond;
Puis, autour des massifs, des bronzes et des marbres,
   Très lentement dansent en rond.

— Ces spectres agités, sont-ce donc la pensée
Du poète ivre, ou son regret ou son remords,
Ces spectres agités en tourbe cadencée,
  Ou bien tout simplement des morts?

Sont-ce donc ton remords, ô rêvasseur qu'invite
L'horreur, ou ton regret, ou ta pensée, — hein? — tous
Ces spectres qu'un vertige irrésistible agite,
  Ou bien des morts qui seraient fous? —

N'importe! ils vont toujours, les fébriles fantômes,
Menant leur ronde vaste et morne et tressautant
Comme dans un rayon de soleil des atomes,
  Et s'évaporant à l'instant

Humide et blême où l'aube éteint l'un après l'autre
Les cors, en sorte qu'il ne reste absolument
Plus rien — absolument — qu'un jardin de Lenôtre,
  Correct, ridicule et charmant.

CHANSON D'AUTOMNE

Les sanglots longs
Des violons
  De l'automne
Blessent mon cœur
D'une langueur
  Monotone.

Tout suffocant
Et blême, quand
  Sonne l'heure,
Je me souviens
Des jours anciens
  Et je pleure;

Et je m'en vais
Au vent mauvais
  Qui m'emporte
Deçà, delà,
Pareil à la
  Feuille morte.

L'HEURE DU BERGER

La lune est rouge au brumeux horizon;
Dans un brouillard qui danse, la prairie
S'endort fumeuse, et la grenouille crie
Par les joncs verts où circule un frisson;

Les fleurs des eaux referment leurs corolles;
Des peupliers profilent aux lointains,
Droits et serrés, leurs spectres incertains;
Vers les buissons errent les lucioles;

Les chats-huants s'éveillent, et sans bruit
Rament l'air noir avec leurs ailes lourdes,
Et le zénith s'emplit de lueurs sourdes.
Blanche, Vénus émerge, et c'est la Nuit.

LE ROSSIGNOL

Comme un vol criard d'oiseaux en émoi,
Tous mes souvenirs s'abattent sur moi,
S'abattent parmi le feuillage jaune
De mon cœur mirant son tronc plié d'aune
Au tain violet de l'eau des Regrets,
Qui mélancoliquement coule auprès,
S'abattent, et puis la rumeur mauvaise
Qu'une brise moite en montant apaise,
S'éteint par degrés dans l'arbre, si bien
Qu'au bout d'un instant on n'entend plus rien,
Plus rien que la voix célébrant l'Absente,
Plus rien que la voix — ô si languissante! —
De l'oiseau qui fut mon Premier Amour,
Et qui chante encor comme au premier jour;
Et, dans la splendeur triste d'une lune
Se levant blafarde et solennelle, une

Nuit mélancolique et lourde d'été,
Pleine de silence et d'obscurité,
Berce sur l'azur qu'un vent doux effleure
L'arbre qui frissonne et l'oiseau qui pleure.

CAPRICES

A Henry Winter.

I

FEMME ET CHATTE

Elle jouait avec sa chatte,
Et c'était merveille de voir
La main blanche et la blanche patte
S'ébattre dans l'ombre du soir.

Elle cachait — la scélérate! —
Sous ces mitaines de fil noir
Ses meurtriers ongles d'agate,
Coupants et clairs comme un rasoir.

L'autre aussi faisait la sucrée
Et rentrait sa griffe acérée.
Mais le diable n'y perdait rien...

Et dans le boudoir où, sonore,
Tintait son rire aérien,
Brillaient quatre points de phosphore.

JÉSUITISME

Le chagrin qui me tue est ironique, et joint
Le sarcasme au supplice, et ne torture point
Franchement, mais picote avec un faux sourire
Et transforme en spectacle amusant mon martyre,
Et, sur la bière où gît mon rêve mi-pourri,
Beugle un *De profundis* sur l'air du *Tradéri*.
C'est un Tartufe qui, tout en mettant des roses
Pompons sur les autels des Madones moroses,
Tout en faisant chanter à des enfants de chœur
Ces cantiques d'eau tiède où se baigne le cœur,
Tout en amidonnant ces guimpes amoureuses
Qui serpentent au cœur sacré des Bienheureuses,
Tout en disant à voix basse son chapelet,
Tout en passant la main sur son petit collet,
Tout en parlant avec componction de l'âme,
N'en médite pas moins ma ruine, — l'infâme!

LA CHANSON DES INGÉNUES

Nous sommes les Ingénues,
Aux bandeaux plats, à l'œil bleu,
Qui vivons, presque inconnues,
Dans les romans qu'on lit peu.

Nous allons entrelacées,
Et le jour n'est pas plus pur
Que le fond de nos pensées,
Et nos rêves sont d'azur;

Et nous courons par les prées
Et rions et babillons
Des aubes jusqu'aux vesprées,
Et chassons aux papillons;

Et des chapeaux de bergères
Défendent notre fraîcheur,
Et nos robes — si légères —
Sont d'une extrême blancheur;

Les Richelieux, les Caussades
Et les chevaliers Faublas
Nous prodiguent les œillades,
Les saluts et les « hélas! »

Mais en vain, et leurs mimiques
Se viennent casser le nez
Devant les plis ironiques
De nos jupons détournés;

Et notre candeur se raille
Des imaginations
De ces raseurs de muraille,
Bien que parfois nous sentions

Battre nos cœurs sous nos mantes
A des pensers clandestins,
En nous sachant les amantes
Futures des libertins.

IV

UNE GRANDE DAME

Belle « à damner les saints », à troubler sous l'aumusse
Un vieux juge! Elle marche impérialement,
Elle parle — et ses dents font un miroitement —
Italien, avec un léger accent russe.

Ses yeux froids où l'émail sertit le bleu de Prusse
Ont l'éclat insolent et dur du diamant.
Pour la splendeur du sein, pour le rayonnement
De la peau, nulle reine ou courtisane, fût-ce

Cléopâtre la lynce ou la chatte Ninon,
N'égale sa beauté patricienne, non!
Vois, ô bon Buridan : « C'est une grande dame! »

Il faut — pas de milieu! — l'adorer à genoux,
Plat, n'ayant d'astre aux cieux que ses lourds cheveux
[roux,

Ou bien lui cravacher la face, à cette femme!

V

MONSIEUR PRUDHOMME

Il est grave : il est maire et père de famille.
Son faux col engloutit son oreille. Ses yeux
Dans un rêve sans fin flottent, insoucieux,
Et le printemps en fleur sur ses pantoufles brille.

Que lui fait l'astre d'or, que lui fait la charmille
Où l'oiseau chante à l'ombre, et que lui font les cieux,
Et les prés verts et les gazons silencieux?
Monsieur Prudhomme songe à marier sa fille

Avec monsieur Machin, un jeune homme cossu.
Il est juste milieu, botaniste et pansu.
Quant aux faiseurs de vers, ces vauriens, ces maroufles,

Ces fainéants barbus, mal peignés, il les a
Plus en horreur que son éternel coryza,
Et le printemps en fleur brille sur ses pantoufles.

INITIUM

Les violons mêlaient leur rire au chant des flûtes
Et le bal tournoyait quand je la vis passer
Avec ses cheveux blonds jouant sur les volutes
De son oreille où mon Désir comme un baiser
S'élançait et voulait lui parler sans oser.

Cependant elle allait, et la mazurque lente
La portait dans son rhythme indolent comme un vers,
— Rime mélodieuse, image étincelante, —
Et son âme d'enfant rayonnait à travers
La sensuelle ampleur de ses yeux gris et verts.

Et depuis, ma Pensée — immobile — contemple
Sa Splendeur évoquée, en adoration,
Et dans son Souvenir, ainsi que dans un temple,
Mon Amour entre, plein de superstition.

Et je crois que voici venir la Passion.

ÇAVITRI

MAHABHARATTA.

Pour sauver son époux, Çavitrî fit le vœu
De se tenir trois jours entiers, trois nuits entières,
Debout, sans remuer jambes, buste ou paupières :
Rigïde, ainsi que dit Vyaça, comme un pieu.

Ni Çurya, tes rais cruels, ni la langueur
Que Tchandra vient épandre à minuit sur les cimes
Ne firent défaillir, dans leurs efforts sublimes,
La pensée et la chair de la femme au grand cœur.

— Que nous cerne l'Oubli, noir et morne assassin,
Ou que l'Envie aux traits amers nous ait pour cibles,
Ainsi que Çavitrî faisons-nous impassibles,
Mais, comme elle, dans l'âme ayons un haut dessein.

SUB URBE

Les petits ifs du cimetière
Frémissent au vent hiémal,
Dans la glaciale lumière.

Avec des bruits sourds qui font mal,
Les croix de bois des tombes neuves
Vibrent sur un ton anormal.

Silencieux comme les fleuves,
Mais gros de pleurs comme eux de flots,
Les fils, les mères et les veuves,

Par les détours du triste enclos,
S'écoulent, — lente théorie, —
Au rythme heurté des sanglots.

Le sol sous les pieds glisse et crie,
Là-haut de grands nuages tors
S'échevèlent avec furie.

Pénétrant comme le remords,
Tombe un froid lourd qui vous écœure
Et qui doit filtrer chez les morts,

Chez les pauvres morts, à toute heure
Seuls, et sans cesse grelottants,
— Qu'on les oublie ou qu'on les pleure! —

Ah! vienne vite le Printemps,
Et son clair soleil qui caresse,
Et ses doux oiseaux caquetants!

Refleurisse l'enchanteresse
Gloire des jardins et des champs
Que l'âpre hiver tient en détresse!

Et que — des levers aux couchants, —
L'or dilaté d'un ciel sans bornes
Berce de parfums et de chants,

Chers endormis, vos sommeils mornes!

SÉRÉNADE

Comme la voix d'un mort qui chanterait
　　Du fond de sa fosse,
Maîtresse, entends monter vers ton retrait
　　Ma voix aigre et fausse.

Ouvre ton âme et ton oreille au son
　　De ma mandoline :
Pour toi j'ai fait, pour toi, cette chanson
　　Cruelle et câline.

Je chanterai tes yeux d'or et d'onyx
　　Purs de toutes ombres,
Puis le Léthé de ton sein, puis le Styx
　　De tes cheveux sombres.

Comme la voix d'un mort qui chanterait
    Du fond de sa fosse,
Maîtresse, entends monter vers ton retrait
    Ma voix aigre et fausse.

Puis je louerai beaucoup, comme il convient,
    Cette chair bénie
Dont le parfum opulent me revient
    Les nuits d'insomnie.

Et pour finir je dirai le baiser,
    De ta lèvre rouge,
Et ta douceur à me martyriser,
    — Mon Ange! — ma Gouge!

Ouvre ton âme et ton oreille au son
    De ma mandoline :
Pour toi j'ai fait, pour toi, cette chanson
    Cruelle et câline.

UN DAHLIA

Courtisane au sein dur, à l'œil opaque et brun
S'ouvrant avec lenteur comme celui d'un bœuf,
Ton grand torse reluit ainsi qu'un marbre neuf.

Fleur grasse et riche, autour de toi ne flotte aucun
Arôme, et la beauté sereine de ton corps
Déroule, mate, ses impeccables accords.

Tu ne sens même pas la chair, ce goût qu'au moins
Exhalent celles-là qui vont fanant les foins,
Et tu trônes, Idole insensible à l'encens.

— Ainsi le Dahlia, roi vêtu de splendeur,
Elève sans orgueil sa tête sans odeur,
Irritant au milieu des jasmins agaçants!

NEVERMORE

Allons, mon pauvre cœur, allons, *mon vieux complice,*
Redresse et peins à neuf tous tes arcs triomphaux;
Brûle un encens ranci sur tes autels d'or faux;
'Sème de fleurs les bords béants du précipice;
Allons, mon pauvre cœur, allons, *mon vieux complice!*

Pousse à Dieu ton cantique, ô chantre rajeuni;
Entonne, orgue enroué, des *Te Deum* splendides;
Vieillard prématuré, mets du fard sur tes rides;
Couvre-toi de tapis mordorés, mur jauni;
Pousse à Dieu ton cantique, ô chantre rajeuni.

Sonnez, grelots; sonnez, clochettes; sonnez, cloches!
Car mon rêve impossible a pris corps et je l'ai
Entre mes bras pressé : le Bonheur, cet ailé
Voyageur qui de l'Homme évite les approches,
— Sonnez, grelots; sonnez, clochettes; sonnez, cloches!

Le Bonheur a marché côte à côte avec moi;
Mais la FATALITÉ ne connaît point de trêve :
Le ver est dans le fruit, le réveil dans le rêve,
Et le remords est dans l'amour : telle est la loi.
— Le Bonheur a marché côte à côte avec moi.

IL BACIO

Baiser! rose trémière au jardin des caresses!
Vif accompagnement sur le clavier des dents
Des doux refrains qu'Amour chante en les cœurs ardents
Avec sa voix d'archange aux langueurs charmeresses!

Sonore et gracieux Baiser, divin Baiser!
Volupté nonpareille, ivresse inénarrable!
Salut! l'homme, penché sur ta coupe adorable,
S'y grise d'un bonheur qu'il ne sait épuiser.

Comme le vin du Rhin et comme la musique,
Tu consoles et tu berces, et le chagrin
Expire avec la moue en ton pli purpurin...
Qu'un plus grand, Gœthe ou Will, te dresse un vers
                                    [classique :

Moi, je ne puis, chétif trouvère de Paris,
T'offrir que ce bouquet de strophes enfantines :
Sois bénin, et pour prix, sur les lèvres mutines
D'Une que je connais, Baiser, descends, et ris.

DANS LES BOIS

D'autres, — des innocents òu bien des lymphatiques, —
Ne trouvent dans les bois que charmes langoureux,
Souffles frais et parfums tièdes. Ils sont heureux!
D'autres s'y sentent pris — rêveurs — d'effrois mystiques.

Ils sont heureux! Pour moi, nerveux, et qu'un remords
Epouvantable et vague affole sans relâche,
Par les forêts je tremble à la façon d'un lâche
Qui craindrait une embûche ou qui verrait des morts.

Ces grands rameaux jamais apaisés, comme l'onde,
D'où tombe un noir silence avec une ombre encor
Plus noire, tout ce morne et sinistre décor
Me remplit d'une horreur triviale et profonde.

Surtout les soirs d'été : la rougeur du couchant
Se fond dans le gris bleu des brumes qu'elle teinte
D'incendie et de sang; et l'angélus qui tinte
Au lointain semble un cri plaintif se rapprochant.

Le vent se lève chaud et lourd, un frisson passe
Et repasse, toujours plus fort, dans l'épaisseur
Toujours plus sombre des hauts chênes, obsesseur,
Et s'éparpille, ainsi qu'un miasme, dans l'espace.

La nuit vient. Le hibou s'envole. C'est l'instant
Où l'on songe aux récits des aïeules naïves...
Sous un fourré, là-bas, là-bas, des sources vives
Font un bruit d'assassins postés se concertant.

NOCTURNE PARISIEN

A Edmond Lepelletier.

Roule, roule ton flot indolent, morne Seine. —
Sous tes ponts qu'environne une vapeur malsaine
Bien des corps ont passé, morts, horribles, pourris,
Dont les âmes avaient pour meurtrier Paris.
Mais tu n'en traînes pas, en tes ondes glacées,
Autant que ton aspect m'inspire de pensées!

Le Tibre a sur ses bords des ruines qui font
Monter le voyageur vers un passé profond,
Et qui, de lierre noir et de lichen couvertes,
Apparaissent, tas gris, parmi les herbes vertes.
Le gai Guadalquivir rit aux blonds orangers
Et reflète, les soirs, des boléros légers.

Le Pactole a son or. Le Bosphore a sa rive
Où vient faire son kief l'odalisque lascive.
Le Rhin est un burgrave, et c'est un troubadour
Que le Lignon, et c'est un ruffian que l'Adour.
Le Nil, au bruit plaintif de ses eaux endormies,
Berce de rêves doux le sommeil des momies.
Le grand Meschascébé, fier de ses joncs sacrés,
Charrie augustement ses îlots mordorés,
Et soudain, beau d'éclairs, de fracas et de fastes,
Splendidement s'écroule en Niagaras vastes.
L'Eurotas, où l'essaim des cygnes familiers
Mêle sa grâce blanche au vert mat des lauriers,
Sous son ciel clair que raie un vol de gypaète,
Rhythmique et caressant, chante ainsi qu'un poète.
Enfin, Ganga, parmi les hauts palmiers tremblants
Et les rouges padmas, marche à pas fiers et lents,
En appareil royal, tandis qu'au loin la foule
Le long des temples va hurlant, vivante houle,
Au claquement massif des cymbales de bois,
Et qu'accroupi, filant ses notes de hautbois,
Du saut de l'antilope agile attendant l'heure,
Le tigre jaune au dos rayé s'étire et pleure.

— Toi, Seine, tu n'as rien. Deux quais, et voilà tout,
Deux quais crasseux, semés de l'un à l'autre bout
D'affreux bouquins moisis et d'une foule insigne
Qui fait dans l'eau des ronds et qui pêche à la ligne.
Oui, mais quand vient le soir, raréfiant enfin
Les passants alourdis de sommeil ou de faim,
Et que le couchant met au ciel des taches rouges,
Qu'il fait bon aux rêveurs descendre de leurs bouges
Et, s'accoudant au pont de la Cité, devant
Notre-Dame, songer, cœur et cheveux au vent !
Les nuages, chassés par la brise nocturne,
Courent, cuivreux et roux, dans l'azur taciturne.
Sur la tête d'un roi du portail, le soleil,
Au moment de mourir, pose un baiser vermeil.
L'hirondelle s'enfuit à l'approche de l'ombre
Et l'on voit voleter la chauve-souris sombre.
Tout bruit s'apaise autour. A peine un vague son
Dit que la ville est là qui chante sa chanson,
Qui lèche ses tyrans et qui mord ses victimes ;
Et c'est l'aube des vols, des amours et des crimes.
— Puis, tout à coup, ainsi qu'un ténor effaré
Lançant dans l'air bruni son cri désespéré,
Son cri qui se lamente, et se prolonge, et crie,
Eclate en quelque coin l'orgue de Barbarie :
Il brame un de ces airs, romances ou polkas,

Qu'enfants nous tapotions sur nos harmonicas
Et qui font, lents ou vifs, réjouissants ou tristes,
Vibrer l'âme aux proscrits, aux femmes, aux artistes.
C'est écorché, c'est faux, c'est horrible, c'est dur,
Et donnerait la fièvre à Rossini, pour sûr;
Ces rires sont traînés, ces plaintes sont hachées;
Sur une clef de sol impossible juchées,
Les notes ont un rhume et les *do* sont des *la*,
Mais qu'importe! l'on pleure en entendant cela!
Mais l'esprit, transporté dans le pays des rêves,
Sent à ces vieux accords couler en lui des sèves;
La pitié monte au cœur et les larmes aux yeux,
Et l'on voudrait pouvoir goûter la paix des cieux,
Et dans une harmonie étrange et fantastique
Qui tient de la musique et tient de la plastique,
L'âme, les inondant de lumière et de chant,
Mêle les sons de l'orgue aux rayons du couchant!

— Et puis l'orgue s'éloigne, et puis c'est le silence
Et la nuit terne arrive et Vénus se balance
Sur une molle nue au fond des cieux obscurs;
On allume les becs de gaz le long des murs.
Et l'astre et les flambeaux font des zigzags fantasques
Dans le fleuve plus noir que le velours des masques;

Et le contemplateur sur le haut garde-fou
Par l'air et par les ans rouillé comme un vieux sou
Se penche, en proie aux vents néfastes de l'abîme.
Pensée, espoir serein, ambition sublime,
Tout jusqu'au souvenir, tout s'envole, tout fuit,
Et l'on est seul avec Paris, l'Onde et la Nuit!

— Sinistre trinité! De l'ombre dures portes!
Mané-Thécel-Pharès des illusions mortes!
Vous êtes toutes trois, ô Goules de malheur,
Si terribles, que l'Homme, ivre de la douleur
Que lui font en perçant sa chair vos doigts de spectre,
L'Homme, espèce d'Oreste à qui manque un Électre,
Sous la fatalité de votre regard creux
Ne peut rien et va droit au précipice affreux;
Et vous êtes aussi toutes trois si jalouses
De tuer et d'offrir au grand Ver des épouses
Qu'on ne sait que choisir entre vos trois horreurs,
Et si l'on craindrait moins périr par les terreurs
Des Ténèbres que sous l'Eau sourde, l'Eau profonde,
Ou dans tes bras fardés, Paris, reine du monde!

— Et tu coules toujours. Seine, et, tout en rampant,
Tu traînes dans Paris ton cours de vieux serpent,
De vieux serpent boueux, emportant vers tes havres
Tes cargaisons de bois, de houille et de cadavres!

MARCO

Quand Marco passait, tous les jeunes hommes
Se penchaient pour voir ses yeux, des Sodomes
Où les feux d'Amour brûlaient sans pitié
Ta pauvre cahute, ô froide Amitié;
Tout autour dansaient des parfums mystiques
Où l'âme en pleurant s'anéantissait;
Sur ses cheveux roux un charme glissait;
Sa robe rendait d'étranges musiques
   Quand Marco passait.

Quand Marco chantait, ses mains, sur l'ivoire,
Evoquaient souvent la profondeur noire
Des airs primitifs que nul n'a redits,
Et sa voix montait dans les paradis

De la symphonie immense des rêves,
Et l'enthousiasme alors transportait
Vers des cieux *connus* quiconque écoutait
Ce timbre d'argent qui vibrait sans trêves,
      Quand Marco chantait.

Quand Marco pleurait, ses terribles larmes
Défiaient l'éclat des plus belles armes;
Ses lèvres de sang fonçaient leur carmin
Et son désespoir n'avait rien d'humain;
Pareil au foyer que l'huile exaspère,
Son courroux croissait, rouge, et l'on aurait
Dit d'une lionne à l'âpre forêt
Communiquant sa terrible colère,
      Quand Marco pleurait.

Quand Marco dansait, sa jupe moirée
Allait et venait comme une marée,
Et, tel qu'un bambou flexible, son flanc
Se tordait, faisant saillir son sein blanc :
Un éclair partait. Sa jambe de marbre,
Emphatiquement cynique, haussait
Ses mates splendeurs, et cela faisait
Le bruit du vent de la nuit dans un arbre,
      Quand Marco dansait.

Quand Marco dormait, oh! quels parfums d'ambre
Et de chairs mêlés opprimaient la chambre!
Sous les draps la ligne exquise du dos
Ondulait, et dans l'ombre des rideaux
L'haleine montait, rhythmique et légère;
Un sommeil heureux et calme fermait
Ses yeux, et ce doux mystère charmait
Les vagues objets parmi l'étagère,
   Quand Marco dormait.

Mais quand elle aimait, des flots de luxure
Débordaient, ainsi que d'une blessure
Sort un sang vermeil qui fume et qui bout,
De ce corps cruel que son crime absout;
Le torrent rompait les digues de l'âme,
Noyait la pensée, et bouleversait
Tout sur son passage, et rebondissait
Souple et dévorant comme de la flamme,
   Et puis se glaçait.

CÉSAR BORGIA

PORTRAIT EN PIED

Sur fond sombre noyant un riche vestibule
Où le buste d'Horace et celui de Tibulle,
Lointains et de profil, rêvent en marbre blanc,
La main gauche au poignard et la main droite au flanc,
Tandis qu'un rire doux redresse la moustache,
Le duc CÉSAR, en grand costume, se détache.
Les yeux noirs, les cheveux noirs et le velours noir
Vont contrastant, parmi l'or somptueux d'un soir,
Avec la pâleur mate et belle du visage
Vu de trois quarts et très ombré suivant l'usage
Des Espagnols ainsi que des Vénitiens
Dans les portraits de rois et de patriciens.
Le nez palpite, fin et droit. La bouche, rouge,
Est mince, et l'on dirait que la tenture bouge
Au souffle véhément qui doit s'en exhaler.

Et le regard, errant avec laisser-aller
Devant lui, comme il sied aux anciennes peintures,
Fourmille de pensers énormes d'aventures,
Et le front, large et pur, sillonné d'un grand pli,
Sans doute de projets formidables rempli,
Médite sous la toque où frissonne une plume
S'élançant hors d'un nœud de rubis qui s'allume.

LA MORT DE PHILIPPE II

A Louis-Xavier de Ricard.

Le coucher d'un soleil de septembre ensanglante
La plaine morne et l'âpre arête des sierras
Et de la brume au loin l'installation lente.

Le Guadarrama pousse entre les sables ras
Son flot hâtif qui va réfléchissant par places
Quelques oliviers nains tordant leurs maigres bras.

Le grand vol anguleux des éperviers rapaces
Raye à l'ouest le ciel mat et rouge qui brunit,
Et leur cri rauque grince à travers les espaces.

Despotique, et dressant au-devant du zénith
L'entassement brutal de ses tours octogones,
L'Escurial étend son orgueil de granit.

Les murs carrés, percés de vitraux monotones,
Montent, droits, blancs et nus, sans autres ornements
Que quelques grils sculptés qu'alternent des couronnes.

Avec des bruits pareils aux rudes hurlements
D'un ours que des bergers navrent de coups de pioches
Et dont l'écho redit les râles alarmants,

Torrent de cris roulant ses ondes sur les roches,
Et puis s'évaporant en des murmures longs,
Sinistrement dans l'air du soir tintent les cloches.

Par les cours du palais, où l'ombre met ses plombs,
Circule — tortueux serpent hiératique —
Une procession de moines aux frocs blonds

Qui marchent un par un, suivant l'ordre ascétique,
Et qui, pieds nus, la corde aux reins, un cierge en main,
Ululent d'une voix formidable un cantique.

— Qui donc ici se meurt? Pour qui sur le chemin
Cette paille épandue et ces croix long-voilées
Selon le rituel catholique romain? —

La chambre est haute, vaste et sombre. Niellées,
Les portes d'acajou massif tournent sans bruit,
Leurs serrures étant, comme leurs gonds, huilées.

Une vague rougeur plus triste que la nuit
Filtre à rais indécis par les plis des tentures
A travers les vitraux où le couchant reluit

Et fait papilloter sur les architectures,
A l'angle des objets, dans l'ombre du plafond,
Ce halo singulier qu'on voit dans les peintures.

Parmi le clair-obscur transparent et profond
S'agitent effarés des hommes et des femmes
A pas furtifs, ainsi que les hyènes font.

Riches, les vêtements des seigneurs et des dames,
Velours, panne, satin, soie, hermine et brocart,
Chantent l'ode du luxe en chatoyantes gammes,

Et, trouant par éclairs distancés avec art
L'opaque demi-jour, les cuirasses de cuivre
Des gardes alignés scintillent de trois quart.

Un homme en robe noire, à visage de cuivre,
Se penche, en caressant de la main ses fémurs,
Sur un lit, comme l'on se penche sur un livre.

Des rideaux de drap d'or roides comme des murs
Tombent d'un dais de bois d'ébène en droite ligne,
Dardant à temps égaux l'œil des diamants durs.

Dans le lit, un vieillard d'une maigreur insigne
Egrène un chapelet, qu'il baise par moment,
Entre ses doigts crochus comme des brins de vigne.

Ses lèvres font ce sourd et long marmottement,
Dernier signe de vie et premier d'agonie,
— Et son haleine pue épouvantablement.

Dans sa barbe couleur d'amarante ternie,
Parmi ses cheveux blancs où luisent des tons roux,
Sous son linge bordé de dentelle jaunie,

Avides, empressés, fourmillants, et jaloux
De pomper tout le sang malsain du mourant fauve
En bataillons serrés vont et viennent les poux.

C'est le Roi, ce mourant qu'assiste un mire chauve,
Le Roi Philippe Deux d'Espagne, — saluez!
Et l'aigle autrichien s'effare dans l'alcôve,

Et de grands écussons, aux murailles cloués,
Brillent, et maints drapeaux où l'oiseau noir s'étale
Pendent de çà de là, vaguement remués!...

— La porte s'ouvre. Un flot de lumière brutale
Jaillit soudain, déferle et bientôt s'établit
Par l'ampleur de la chambre en nappe horizontale;

Porteurs de torches, roux, et que l'extase emplit,
Entrent dix capucins qui restent en prière :
Un d'entre eux se détache et marche droit au lit.

Il est grand, jeune et maigre, et son pas est de pierre,
Et les élancements farouches de la Foi
Rayonnent à travers les cils de sa paupière;

Son pied ferme et pesant et lourd, comme la Loi,
Sonne sur les tapis, régulier, emphatique :
Les yeux baissés en terre, il marche droit au Roi.

Et tous sur son trajet dans un geste extatique
S'agenouillent, frappant trois fois du poing leur sein,
Car il porte avec lui le sacré Viatique.

Du lit s'écarte avec respect le matassin,
Le médecin du corps, en pareille occurrence,
Devant céder la place, Ame, à ton médecin.

La figure du Roi, qu'étire la souffrance,
A l'approche du fray se rassérène un peu,
Tant la religion est grosse d'espérance!

Le moine, cette fois, ouvrant son œil de feu,
Tout brillant de pardons mêlés à des reproches,
S'arrête, messager des justices de Dieu.

— Sinistrement dans l'air du soir tintent les cloches.

*

Et la Confession commence. Sur le flanc
Se retournant, le Roi, d'un ton sourd, bas et grêle,
Parle de feux, de juifs, de bûchers et de sang.

— « Vous repentiriez-vous par hasard de ce zèle?
« Brûler des juifs, mais c'est une dilection!
« Vous fûtes, ce faisant, orthodoxe et fidèle. » —

Et, se pétrifiant dans l'exaltation,
Le Révérend, les bras croisés, tête dressée,
Semble l'esprit sculpté de l'Inquisition.

Ayant repris haleine, et d'une voix cassée,
Péniblement, et comme arrachant par lambeaux
Un remords douloureux du fond de sa pensée,

Le Roi, dont la lueur tragique des flambeaux
Eclaire le visage osseux et le front blême,
Prononce ces mots : Flandre, Albe, morts, sacs, tombeaux.

— « Les Flamands, révoltés contre l'Eglise même,
« Furent très justement punis, à votre los,
« Et je m'étonne, ô Roi, de ce doute suprême.

« Poursuivez. » Et le Roi parla de don Carlos,
Et deux larmes coulaient tremblantes sur sa joue
Palpitante et collée affreusement à l'os.

— « Vous déplorez cet acte, et moi je vous en loue.
« L'Infant, certes, était coupable au dernier point,
« Ayant voulu tirer l'Espagne dans la boue

« De l'hérésie anglaise, et de plus n'ayant point
« Frémi de conspirer — ô ruses abhorrées! —
« Et contre un Père, et contre un Maître, et contre un
[Oint! »

Le moine ensuite dit les formules sacrées
Par quoi tous nos péchés nous sont remis, et puis,
Prenant l'Hostie avec ses deux mains timorées,

Sur la langue du Roi la déposa. Tous bruits
Se sont tus, et la Cour, pliant dans la détresse,
Pria, muette et pâle, et nul n'a su depuis

Si sa prière fut sincère ou bien traîtresse.
— Qui dira les pensers obscurs que protégea
Ce silence, brouillard complice qui se dresse?

Ayant communié, le Roi se replongea
Dans l'ampleur des coussins, et la béatitude
De l'Absolution reçue ouvrant déjà

L'œil de son âme au jour clair de la certitude,
Epanouit ses traits en un sourire exquis
Qui tenait de la fièvre et de la quiétude.

Et tandis qu'alentour ducs, comtes et marquis,
Pleins d'angoisses, fichaient leurs yeux sous la courtine,
L'âme du Roi montait, sereine, aux cieux conquis,

Puis le râle des morts hurla dans la poitrine
De l'auguste malade avec des sursauts fous :
Tel l'ouragan passe à travers une ruine.

Et puis plus rien; et puis, sortant par mille trous,
Ainsi que des serpents frileux de leur repaire,
Sur le corps froid les vers se mêlèrent aux poux.

— Philippe Deux était à la droite du Père.

ÉPILOGUE

I

Le soleil, moins ardent, luit clair au ciel moins dense.
Balancés par un vent automnal et berceur,
Les rosiers du jardin s'inclinent en cadence.
L'atmosphère ambiante a des baisers de sœur.

La Nature a quitté pour cette fois son trône
De splendeur, d'ironie et de sérénité :
Clémente, elle descend, par l'ampleur de l'air jaune,
Vers l'homme, son sujet pervers et révolté.

Du pan de son manteau, que l'abîme constelle,
Elle daigne essuyer les moiteurs de nos fronts,
Et son âme éternelle et sa force immortelle
Donnent calme et vigueur à nos cœurs mous et prompts.

Le frais balancement des ramures chenues,
L'horizon élargi plein de vagues chansons,
Tout, jusqu'au vol joyeux des oiseaux et des nues,
Tout, aujourd'hui, console et délivre. — Pensons.

II

Donc, c'en est fait. Ce livre est clos. Chères Idées
Qui rayiez mon ciel gris de vos ailes de feu
Dont le vent caressait mes tempes obsédées,
Vous pouvez revoler devers l'Infini bleu!

Et toi, Vers qui tintais, et toi, Rime sonore,
Et vous, Rhythmes chanteurs, et vous, délicieux
Ressouvenirs, et vous, Rêves, et vous encore,
Images qu'évoquaient mes désirs anxieux,

Il faut nous séparer. Jusqu'aux jours plus propices
Où nous réunira l'Art, notre maître, adieu,
Adieu, doux compagnons, adieu, charmants complices!
Vous pouvez revoler devers l'Infini bleu.

Aussi bien, nous avons fourni notre carrière,
Et le jeune étalon de notre bon plaisir,
Tout affolé qu'il est de sa course première,
A besoin d'un peu d'ombre et de quelque loisir.

— Car toujours nous t'avons fixée, ô Poésie,
Notre astre unique et notre unique passion,
T'ayant seule pour guide et compagne choisie,
Mère, et nous méfiant de l'Inspiration.

III

Ah! l'Inspiration superbe et souveraine,
L'Égérie aux regards lumineux et profonds,
Le Genium commode et l'Erato soudaine,
L'Ange des vieux tableaux avec des ors au fond,

La Muse, dont la voix est puissante sans doute,
Puisqu'elle fait d'un coup dans les premiers cerveaux,
Comme ces pissenlits dont s'émaillent la route,
Pousser tout un jardin de poèmes nouveaux,

La Colombe, le Saint-Esprit, le Saint Délire,
Les Troubles opportuns, les Transports complaisants,
Gabriel et son luth, Apollon et sa lyre,
Ah! l'Inspiration, on l'évoque à seize ans!

Ce qu'il nous faut à nous, les Suprêmes Poètes
Qui vénérons les Dieux et qui n'y croyons pas,
A nous dont nul rayon n'auréola les têtes,
Dont nulle Béatrix n'a dirigé les pas,

A nous qui ciselons les mots comme des coupes
Et qui faisons des vers émus très froidement,
A nous qu'on ne voit point les soirs aller par groupes
Harmonieux au bord des *lacs* et nous pâmant,

Ce qu'il nous faut, à nous, c'est, aux lueurs des lampes,
La science conquise et le sommeil dompté,
C'est le front dans les mains du vieux Faust des estampes,
C'est l'Obstination et c'est la Volonté!

C'est la Volonté sainte, absolue, éternelle,
Cramponnée au projet comme un noble condor
Aux flancs fumants de peur d'un buffle, et d'un coup
                                              [d'aile
Emportant son trophée à travers les cieux d'or!

Ce qu'il nous faut à nous, c'est l'étude sans trêve,
C'est l'effort inouï, le combat nonpareil,
C'est la nuit, l'âpre nuit du travail, d'où se lève
Lentement, lentement, l'Œuvre, ainsi qu'un soleil!

Libre à nos Inspirés, cœurs qu'une œillade enflamme,
D'abandonner leur être aux vents comme un bouleau;
Pauvres gens! l'Art n'est pas d'éparpiller son âme :
Est-elle en marbre, ou non, la Vénus de Milo?

Nous donc, sculptons avec le ciseau des Pensées
Le bloc vierge du Beau, Paros immaculé,
Et faisons-en surgir sous nos mains empressées
Quelque pure statue au péplos étoilé,

Afin qu'un jour, frappant de rayons gris et roses
Le chef-d'œuvre serein, comme un nouveau Memnon,
L'Aube-Postérité, fille des Temps moroses,
Fasse dans l'air futur retentir notre nom!

FÊTES GALANTES

CLAIR DE LUNE

Votre âme est un paysage choisi
Que vont charmant masques et bergamasques,
Jouant du luth, et dansant, et quasi
Tristes sous leurs déguisements fantasques.

Tout en chantant sur le mode mineur
L'amour vainqueur et la vie opportune,
Ils n'ont pas l'air de croire à leur bonheur
Et leur chanson se mêle au clair de lune,

Au calme clair de lune triste et beau,
Qui fait rêver les oiseaux dans les arbres
Et sangloter d'extase les jets d'eau,
Les grands jets d'eau sveltes parmi les marbres.

PANTOMIME

Pierrot, qui n'a rien d'un Clitandre,
Vide un flacon sans plus attendre,
Et, pratique, entame un pâté.

Cassandre, au fond de l'avenue,
Verse une larme méconnue
Sur son neveu déshérité.

Ce faquin d'Arlequin combine
L'enlèvement de Colombine
Et pirouette quatre fois.

Colombine rêve, surprise
De sentir un cœur dans la brise
Et d'entendre en son cœur des voix.

SUR L'HERBE

— L'abbé divague. — Et toi, marquis,
Tu mets de travers ta perruque.
— Ce vieux vin de Chypre est exquis
Moins, Camargo, que votre nuque.

— Ma flamme... — Do, mi, sol, la, si.
L'abbé, ta noirceur se dévoile!
— Que je meure, mesdames, si
Je ne vous décroche une étoile!

— Je voudrais être petit chien!
— Embrassons nos bergères, l'une
Après l'autre. — Messieurs, eh bien?
— Do, mi, sol. — Hé! bonsoir la Lune!

L'ALLÉE

Fardée et peinte comme au temps des bergeries,
Frêle parmi les nœuds énormes de rubans,
Elle passe sous les ramures assombries,
Dans l'allée où verdit la mousse des vieux bancs,
Avec mille façons et mille afféteries
Qu'on garde d'ordinaire aux perruches chéries.
Sa longue robe à queue est bleue, et l'éventail
Qu'elle froisse en ses doigts fluets aux larges bagues
S'égaie un des sujets érotiques, si vagues
Qu'elle sourit, tout en rêvant, à maint détail.

— Blonde, en somme. Le nez mignon avec la bouche
Incarnadine, grasse, et divine d'orgueil
Inconscient. — D'ailleurs plus fine que la mouche
Qui ravive l'éclat un peu niais de l'œil.

A LA PROMENADE

Le ciel si pâle et les arbres si grêlès
Semblent sourire à nos costumes clairs
Qui vont flottant légers avec des airs
De nonchalance et des mouvements d'ailes.

Et le vent doux ride l'humble bassin,
Et la lueur du soleil qu'atténue
L'ombre des bas tilleuls de i'avenue
Nous parvient bleue et mourante à dessein.

Trompeurs exquis et coquettes charmantes,
Cœurs tendres mais affranchis du serment,
Nous devisons délicieusement,
Et les amants lutinent les amantes

De qui la main imperceptible sait
Parfois donner un soufflet qu'on échange
Contre un baiser sur l'extrême phalange
Du petit doigt, et comme la chose est

Immensément excessive et farouche,
On est puni par un regard très sec,
Lequel contraste, au demeurant, avec
La moue assez clémente de la bouche.

DANS LA GROTTE

Là! Je me tue à vos genoux!
Car ma détresse est infinie,
Et la tigresse épouvantable d'Hyrcanie
Est une agnelle au prix de vous.

Oui, céans, cruelle Clymène,
Ce glaive, qui dans maints combats
Mit tant de Scipions et de Cyrus à bas,
Va finir ma vie et ma peine!

Ai-je même besoin de lui
Pour descendre aux Champs Elysées?
Amour perça-t-il pas de flèches aiguisées
Mon cœur, dès que votre œil m'eut lui?

LES INGÉNUS

Les hauts talons luttaient avec les longues jupes,
En sorte que, selon le terrain et le vent,
Parfois luisaient des bas de jambes, trop souvent
Interceptés! — et nous aimions ce jeu de dupes.

Parfois aussi le dard d'un insecte jaloux
Inquiétait le col des belles sous les branches,
Et c'était des éclairs soudains de nuques blanches,
Et ce régal comblait nos jeunes yeux de fous.

Le soir tombait, un soir équivoque d'automne :
Les belles, se pendant **rêveuses à nos bras,**
Dirent alors des **mots si spécieux,** tout bas,
Que notre âme depuis ce temps tremble et s'étonne.

CORTÈGE

Un singe en veste de brocart
Trotte et gambade devant elle
Qui froisse un mouchoir de dentelle
Dans sa main gantée avec art,

Tandis qu'un négrillon tout rouge
Maintient à tour de bras les pans
De sa lourde robe en suspens,
Attentif à tout pli qui bouge;

Le singe ne perd pas des yeux
La gorge blanche de la dame,
Opulent trésor que réclame
Le torse nu de l'un des dieux;

Le négrillon parfois soulève
Plus haut qu'il ne faut, l'aigrefin,
Son fardeau somptueux, afin
De voir ce dont la nuit il rêve;

Elle va par les escaliers
Et ne paraît pas davantage
Sensible à l'insolent suffrage
De ses animaux familiers.

LES COQUILLAGES

Chaque coquillage incrusté
Dans la grotte où nous nous aimâmes
A sa particularité.

L'un a la pourpre de nos âmes
Dérobée au sang de nos cœurs
Quand je brûle et que tu t'enflammes;

Cet autre affecte tes langueurs
Et tes pâleurs alors que, lasse,
Tu m'en veux de mes yeux moqueurs;

Celui-ci contrefait la grâce
De ton oreille, et celui-là
Ta nuque rose, courte et grasse;

Mais un, entre autres, me troubla.

EN PATINANT

Nous fûmes dupes, vous et moi,
De manigances mutuelles,
Madame, à cause de l'émoi
Dont l'Eté férut nos cervelles.

Le Printemps avait bien un peu
Contribué, si ma mémoire
Est bonne, à brouiller notre jeu,
Mais que d'une façon moins noire!

Car au printemps l'air est si frais
Qu'en somme les roses naissantes
Qu'Amour semble entrouvrir exprès
Ont des senteurs presque innocentes;

Et même les lilas ont beau
Pousser leur haleine poivrée,
Dans l'ardeur du soleil nouveau :
Cet excitant au plus récrée,

Tant le zéphyr souffle, moqueur,
Dispersant l'aphrodisiaque
Effluve, en sorte que le cœur
Chôme et que même l'esprit vaque,

Et qu'émoustillés, les cinq sens
Se mettent alors de la fête,
Mais seuls, tout seuls, bien seuls et sans
Que la crise monte à la tête.

Ce fut le temps, sous de clairs ciels,
(Vous en souvenez-vous, Madame?),
Des baisers superficiels
Et des sentiments à fleur d'âme,

Exempts de folles passions,
Pleins d'une bienveillance amène,
Comme tous deux nous jouissions
Sans enthousiasme — et sans peine!

Heureux instants! — mais vint l'Eté!
Adieu, rafraîchissantes brises!
Un vent de lourde volupté
Investit nos âmes surprises.

Des fleurs aux calices vermeils
Nous lancèrent leurs odeurs mûres,
Et partout les mauvais conseils
Tombèrent sur nous des ramures.

Nous cédâmes à tout cela,
Et ce fut un bien ridicule
Vertigo qui nous affola
Tant que dura•la canicule.

Rires oiseux, pleurs sans raisons,
Mains indéfiniment pressées,
Tristesses moites, pâmoisons,
Et quel vague dans les pensées!

L'automne, heureusement, avec
Son jour froid et ses bises rudes,
Vint nous corriger, bref et sec,
De nos mauvaises habitudes,

Et nous induisit brusquement
En l'élégance réclamée
De tout irréprochable amant
Comme de toute digne aimée...

Or, c'est l'Hiver, Madame, et nos
Parieurs tremblent pour leur bourse,
Et déjà les autres traîneaux
Osent nous disputer la course.

Les deux mains dans votre manchon,
Tenez-vous bien sur la banquette,
Et filons! et bientôt Fanchon
Nous fleurira — quoi qu'on caquette!

FANTOCHES

Scaramouche et Pulcinella
Qu'un mauvais destin rassembla
Gesticulent, noirs sous la lune.

Cependant l'excellent docteur
Bolonais cueille avec lenteur
Des simples parmi l'herbe brune.

Lors sa fille, piquant minois,
Sous la charmille, en tapinois,
Se glisse demi-nue, en quête

De son beau pirate espagnol,
Dont un langoureux rossignol
Clame la détresse à tue-tête.

CYTHÈRE

Un pavillon à claires-voies
Abrite doucement nos joies
Qu'éventent des rosiers amis;

L'odeur des roses, faible, grâce
Au vent léger d'été qui passe,
Se mêle aux parfums qu'elle a mis;

Comme ses yeux l'avaient promis,
Son courage est grand et sa lèvre
Communique une exquise fièvre;

Et l'Amour comblant tout, hormis
La Faim, sorbets et confitures
Nous préservent des courbatures.

EN BATEAU

L'étoile du berger tremblote
Dans l'eau plus noire et le pilote
Cherche un briquet dans sa culotte.

C'est l'instant, Messieurs, ou jamais,
D'être audacieux, et je mets
Mes deux mains partout désormais!

Le chevalier Atys, qui gratte
Sa guitare, à Chloris l'ingrate
Lance une œillade scélérate.

L'abbé confesse bas Eglé,
Et ce vicomte déréglé
Des champs donne à son cœur la clé.

Cependant la lune se lève
Et l'esquif en sa course brève
File gaîment sur l'eau qui rêve.

LE FAUNE

Un vieux faune de terre cuite
Rit au centre des boulingrins,
Présageant sans doute une suite
Mauvaise à ces instants sereins

Qui m'ont conduit et t'ont conduite,
— Mélancoliques pèlerins, —
Jusqu'à cette heure dont la fuite
Tournoie au son des tambourins.

MANDOLINE

Les donneurs de sérénades
Et les belles écouteuses
Echangent des propos fades
Sous les ramures chanteuses.

C'est Tircis et c'est Aminte,
Et c'est l'éternel Clitandre,
Et c'est Damis qui pour mainte
Cruelle fait maint vers tendre.

Leurs courtes vestes de soie,
Leurs longues robes à queues,
Leur élégance, leur joie
Et leurs molles ombres bleues

Tourbillonnent dans l'extase
D'une lune rose et grise,
Et la mandoline jase
Parmi les frissons de brise.

A CLYMÈNE

Mystiques barcarolles,
Romances sans paroles,
Chère, puisque tes yeux,
    Couleur des cieux,

Puisque ta voix, étrange
Vision qui dérange
Et trouble l'horizon
    De ma raison,

Puisque l'arôme insigne
De ta pâleur de cygne
Et puisque la candeur
    De ton odeur,

Ah! puisque tout ton être,
Musique qui pénètre,
Nimbes d'anges défunts,
   Tons et parfums,

A, sur d'almes cadences
En ses correspondances
Induit mon cœur subtil,
   Ainsi soit-il!

LETTRE

Eloigné de vos yeux, Madame, par des soins
Impérieux (j'en prends tous les dieux à témoins),
Je languis et je meurs, comme c'est ma coutume
En pareil cas, et vais, le cœur plein d'amertume,
A travers des soucis où votre ombre me suit,
Le jour dans mes pensers, dans mes rêves la nuit,
Et, la nuit et le jour, adorable, Madame!
Si bien qu'enfin, mon corps faisant place à mon âme,
Je deviendrai fantôme à mon tour aussi, moi,
Et qu'alors, et parmi le lamentable émoi
Des enlacements vains et des désirs sans nombre,
Mon ombre se fondra pour jamais en votre ombre.

En attendant, je suis, très chère, ton valet.

Tout se comporte-t-il là-bas comme il te plaît,
Ta perruche, ton chat, ton chien? La compagnie
Est-elle toujours belle? et cette Silvanie
Dont j'eusse aimé l'œil noir si le tien n'était bleu,
Et qui parfois me fit des signes, palsambleu!
Te sert-elle toujours de douce confidente?

Or, Madame, un projet impatient me hante
De conquérir le monde et tous ses trésors pour
Mettre à vos pieds ce gage — indigne — d'un amour
Egal à toutes les flammes lès plus célèbres
Qui des grands cœurs aient fait resplendir les ténèbres.
Cléopâtre fut moins aimée, oui, sur ma foi!
Par Marc-Antoine et par César que vous par moi,
N'en doutez pas, Madame, et je saurai combattre
Comme César pour un sourire, ô Cléopâtre,
Et comme Antoine fuir au seul prix d'un baiser.

Sur ce, très chère, adieu. Car voilà trop causer,
Et le temps que l'on perd à lire une missive
N'aura jamais valu la peine qu'on l'écrive.

LES INDOLENTS

« Bah! malgré les destins jaloux,
Mourons ensemble, voulez-vous?
— La proposition est rare.

— Le rare est le bon. Donc mourons
Comme dans les Décamérons.
— Hi! hi! hi! quel amant bizarre!

— Bizarre, je ne sais. Amant
Irréprochable, assurément.
Si vous voulez, mourons ensemble?

— Monsieur, vous raillez mieux encor
Que vous n'aimez, et parlez d'or;
Mais taisons-nous, si bon vous semble! »

Si bien que ce soir-là Tircis
Et Dorimène, à deux assis
Non loin de deux sylvains hilares,

Eurent l'inexpiable tort
D'ajourner une exquise mort.
Hi! hi! hi! les amants bizarres!

COLOMBINE

Léandre le sot,
Pierrot qui d'un saut
   De puce
Franchit le buisson,
Cassandre sous son
   Capuce,

Arlequin aussi,
Cet aigrefin si
   Fantasque
Aux costumes fous,
Ses yeux luisants sous
   Son masque,

— Do, mi, sol, mi, fa, —
Tout ce monde va,
   Rit, chante
Et danse devant
Une belle enfant
   Méchante

Dont les yeux pervers
Comme les yeux verts
   Des chattes
Gardent ses appas
Et disent : « A bas
   Les pattes! »

— Eux ils vont toujours! —
Fatidique cours
   Des astres,
Oh! dis-moi vers quels
Mornes ou cruels
   Désastres

L'implacable enfant,
Preste et relevant
        Ses jupes,
La rose au chapeau,
Conduit son troupeau
        De dupes!

L'AMOUR PAR TERRE

Le vent de l'autre nuit a jeté bas l'Amour
Qui, dans le coin le plus mystérieux du parc,
Souriait en bandant malignement son arc,
Et dont l'aspect nous fit tant songer tout un jour!

Le vent de l'autre nuit l'a jeté bas! Le marbre
Au souffle du matin tournoie, épars. C'est triste
De voir le piédestal, où le nom de l'artiste
Se lit péniblement parmi l'ombre d'un arbre.

Oh! c'est triste de voir debout le piédestal
Tout seul! et des pensers mélancoliques vont
Et viennent dans mon rêve où le chagrin profond
Evoque un avenir solitaire et fatal.

Oh! c'est triste! — Et toi-même, est-ce pas? es touchée
D'un si dolent tableau, bien que ton œil frivole
S'amuse au papillon de pourpre et d'or qui vole
Au-dessus des débris dont l'allée est jonchée.

EN SOURDINE

Calmes dans le demi-jour
Que les branches hautes font,
Pénétrons bien notre amour
De ce silence profond.

Fondons nos âmes, nos cœurs
Et nos sens extasiés,
Parmi les vagues langueurs
Des pins et des arbousiers.

Ferme tes yeux à demi,
Croise tes bras sur ton sein,
Et de ton cœur endormi
Chasse à jamais tout dessein.

Laissons-nous persuader
Au souffle berceur et doux
Qui vient à tes pieds rider
Les ondes de gazon roux.

Et quand, solennel, le soir
Des chênes noirs tombera,
Voix de notre désespoir,
Le rossignol chantera.

COLLOQUE SENTIMENTAL

Dans le vieux parc solitaire et glacé
Deux formes ont tout à l'heure passé.

Leurs yeux sont morts et leurs lèvres sont molles,
Et l'on entend à peine leurs paroles.

Dans le vieux parc solitaire et glacé
Deux spectres ont évoqué le passé.

— Te souvient-il de notre extase ancienne?
— Pourquoi voulez-vous donc qu'il m'en souvienne?

— Ton cœur bat-il toujours à mon seul nom?
Toujours vois-tu mon âme en rêve? — Non.

— Ah! les beaux jours de bonheur indicible
Où nous joignions nos bouches! — C'est possible.

— Qu'il était bleu, le ciel, et grand, l'espoir!
— L'espoir a fui, vaincu, vers le ciel noir.

Tels ils marchaient dans les avoines folles,
Et la nuit seule entendit leurs paroles.

NOTES ET COMMENTAIRES

par

Claude Cuénot

POÈMES SATURNIENS

I

ÉTUDE LITTÉRAIRE

L'achevé d'imprimer des *Poèmes saturniens* (Alphonse Lemerre éditeur) est du 20 octobre 1866, la couverture portant le millésime 1867 (rééditions en 1890 et 1894 chez Vanier), les frais de l'édition Lemerre ayant été avancés par Élisa. En gros, le recueil qui, en 1865, s'intitulait plus abstraitement *Poèmes et Sonnets*, se présente ainsi : 1) Un *poème liminaire;* 2) Un *Prologue;* 3) Une série de sonnets : *Melancholia;* 4) Une collection d'*Eaux-fortes* (aux rythmes variés); 5) Une section intitulée *Paysages tristes* (de beaucoup la plus originale); 6) Une collection de *Caprices,* séries de fantaisies; 7) Un paquet de poèmes non groupés sous un titre, parmi lesquels deux longs poèmes : *Nocturne parisien* et *La mort de Philippe II;* 8) un *Épilogue.*

Nous sommes des plus mal renseignés sur la genèse du recueil, les témoignages successifs de Verlaine étant plus que sujets à caution. Si la vie du poète s'était prolongée, il aurait fini par rattacher les *Poèmes saturniens* à ses années de nourrice. Voici un tableau fort inspiré de Jacques-Henry Bornecque[1] :

Il Bacio, vers 1860 (P 28 avril 1866).

Marco, après 1860 (P 28 avril 1866).

Nocturne parisien, fin 1861 ou première moitié 1862.

Initium, automne 1862?

Crépuscule du soir mystique, 1862 au plus tôt.

L'Heure du berger, id.

Monsieur Prudhomme, P août 1863.

Sub urbe, 1863 (P 28 avril 1866).

Nuit du Walpurgis classique, 1864 ou plus tôt (P 1er août 1866).

La Chanson des ingénues, 1864 ou plus tôt.

Prologue (1re partie), 1865.

Promenade sentimentale, id.

Chanson d'automne, id.

Nevermore I, P 30 décembre 1865.

Nevermore II, 1865.

Croquis parisien, id.

Dans les bois, P 16 décembre 1865.

Les Sages d'autrefois, 1866?

Après trois ans, 1866.

Prologue (2e partie), 1866.

Épilogue, 1866.

Mon rêve familier, P 28 avril 1866.

Cauchemar, id.

Marine, id.

Épilogue, 1866.

1. *Les Poèmes saturniens de Paul Verlaine* 2e éd., Paris, Nizet, 1967, pp. 188-189. P veut dire que nous ne connaissons sûrement que la date du périodique. Celle de la composition est antérieure, forcément.

Cet édifice, à part les dates de périodiques, possède la solidité d'un château de sable. Mon impression personnelle — mais le moindre manuscrit daté vaut mieux que toutes les impressions du monde — c'est que le recueil, un ouvrage de débutant, à n'en pas douter, comporte des pièces d'allure scolaire et des chefs-d'œuvre. Les premières peuvent être pour une bonne part anciennes, les seconds jouxtent sûrement les années 1865-1866 ou coïncident avec elles. N'en déplaise à sainte Thérèse d'Avila, il est fort douteux par exemple que le *Crépuscule du soir mystique,* vu sa valeur, puisse remonter à 1862. Par contre, les grandes « tartines » parnasso-baudelairiennes, *Prologue, Épilogue,* peuvent très bien être contemporaines des chefs-d'œuvre, car Verlaine, plus encore que les autres, connaissait « ce conflit entre le Pire et le Mieux ». Hugo était capable d'écrire un « à la manière de » Hugo. Pour Verlaine, pas question, sauf de se faire des grimaces dans un miroir.

Comme l'a bien noté Bornecque le perspicace, la composition du recueil a varié. Dans *Le Parnasse contemporain* (1866), on trouve successivement, outre *Vers dorés* (non retenus), *Il Bacio, Dans les bois* (deux pièces rejetées en fin de recueil), *Cauchemar* (inséré dans les *Eaux-fortes*), *Sub urbe* (refoulé en fin de recueil alors que la pièce était d'abord destinée à *Eaux-fortes*), *Marine* (placé dans les *Eaux-fortes*), *Mon rêve familier* (classé dans *Melancholia*), *L'Angoisse* (situé en queue de la même section). En outre, on sait que Verlaine fit don à Ernest Boutier du chapitre *Melancholia,* or celui-ci comportait, outre les pièces actuelles, *Effet de nuit* et *Grotesques.* On soupçonne donc tout un remue-ménage qui rappelle celui qui agite en permanence un ministère français.

Malgré les apparences, les *Poèmes saturniens* ne sont pas faciles à juger. Il va de soi que les chefs-d'œuvre, ou simplement les bonnes pièces, fraient bien fâcheusement avec les devoirs d'écolier (modèle *Sérénade*), et que cette inégalité s'explique par la jeunesse de l'artiste. Il est évident que les réminiscences littéraires sont aussi nombreuses que les puces de mer quand monte la marée : tout y passe, les petits, les moyens et les grands, les anciens et les modernes. Le poète connaît les petits romantiques du genre d'Aloysius Bertrand et n'hésite point à pêcher dans les eaux de Glatigny et de Catulle Mendès. Il pratique Théophile Gautier. Il connaît tout Banville. Il imite (fort extérieurement) Leconte de Lisle. Quant à Baudelaire, c'est le maître vénéré, le seul qui lui inspira les seuls articles de critique valables qui fussent sortis de sa plume, dans *L'Art* (1865).

Il ne faut pas s'étonner de ce lacis d'influences. D'abord le poète est jeune et donc réceptif. Ensuite l'époque, il faut le dire, est plus que confuse. Victor Hugo vaticine dans l'exil. Baudelaire est déjà malade et vit à part, puis il y a Leconte de Lisle, puis les poètes moyens du style Banville et Gautier; les cénacles foisonnent, ainsi le cercle de Louis-Xavier de Ricard, et maintes revues, dont la principale occupation consiste à naître, à vivoter et à mourir. Si l'on ose parler d'une école parnassienne, le Parnasse a connu le jour presque en même temps que les *Poèmes saturniens*. Dans ce mouvement brownien, la première impression est que Verlaine zigzague ainsi qu'une molécule. En fait, il n'en est pas pleinement ainsi, car il est possible que les pièces « parnassiennes » de Verlaine recèlent autant de malice que ses citations camouflées de vers de Corneille et de Racine. Mais il ne plaisante pas quand il orchestre dans le *Prologue* les vers baudelairiens du *Reniement de saint Pierre* :

> *Certes, je sortirai, quant à moi, satisfait*
> *D'un monde où l'action n'est pas la sœur du rêve*

ni quand il prône, dans l'*Épilogue,* la nécessité du travail : « dix vers par jour en moyenne », écrit Verlaine le 31 août 1865 à Louis-

Xavier de Ricard. Au fond, son illuminante découverte, c'est Baudelaire qu'il dépouille d'ailleurs de sa philosophie. Baudelaire (avant Rimbaud) fut le premier grand intercesseur de Verlaine. Pour se rendre compte que le premier Verlaine est une transfiguration de Baudelaire, il n'est que de relire la *Chanson d'automne*.

Sur les sources littéraires, grâce à Georges Zayed et quelques autres commentateurs, on commence à y voir clair, ce qui n'exclut pas des surprises futures dictées en partie par la malice du poète. Mais sur deux autres questions, ce n'est pas sans peine que se dissipent les ténèbres. Comme tout le monde le sait, les *Poèmes saturniens* contiennent des paysages, dont trois attirent l'attention, la description d'un jardin *(Après trois ans)*, une promenade au bord d'un étang *(Promenade sentimentale)*, la tombée de la nuit *(L'Heure du berger)*, les autres étant ou bien imaginaires, ou bien faciles à identifier. C'est sur ces trois paysages que s'accroche la discussion. Le jardin semble bien être celui du cousin Auguste Dujardin, le « sucrier » de Lécluse, mari d'Élisa. Il va sans dire que l'imagination du poète a rapetissé le jardin, en l'assortissant d'une Velléda empruntée à l'ancienne Pépinière du Luxembourg. Les deux autres paysages paraissent évoquer (avec une forte stylisation) les étangs qui entourent Lécluse, ombragés de peupliers, d'ormes, de saules, embroussaillés de joncs et de nénuphars blancs et jaunes.

Toujours Lécluse. Et dès lors surgit un problème capital : les *Poèmes saturniens* forment-ils un recueil secrètement personnel ? Les interprètes se classent à gauche et à droite, avec un juste milieu, celui des « Oui, mais ». A gauche, siège Edmond Lepelletier[1] : « Dans ce recueil juvénile, il n'y a aucune expression intime, aucun aveu, aucune trace de confession [...]. » Or le terme de biographe

---

1. *Paul Verlaine. Sa vie. Son œuvre*, Paris, Mercure de France, 1907, p. 152.

possède un presque synonyme, celui de menteur. Lepelletier n'a-t-il pas eu le front de soutenir la pureté des relations entre Rimbaud et Verlaine, ce qui ne l'avait pas empêché de signaler, lors du séjour de Rimbaud à Paris, qu'on avait vu Verlaine avec une « demoiselle » Rimbaud? Et Lepelletier le fidèle ne s'est pas non plus gêné pour brader les manuscrits de Verlaine après la mort de son ami.

A droite prend place Jacques-Henry Bornecque, muni de l'électro-aimant d'un puissant appareil dialectique. Voici entre autres un extrait bien connu des *Confessions* (II,2), qui raconte l'enterrement d'Élisa : « J'entrai dans le salon où était exposé le cercueil. J'y jetai l'eau bénite et sortis, chancelant [...] Il était trop tard pour songer à me changer et ce fut tout souillé de boue et fumant de pluie comme un chien mouillé, et sous l'averse sans fin pour tout le jour, que je suivis ma cousine, ma chère à jamais regrettée, bonne, bien-aimée Élisa [...]. Les deux jours qui suivirent, je ne mangeai pas, je bus. » Et dans un poème d'*Amour* (ajouté en 1891), Verlaine commence :

> *Ma cousine Élisa, presque une sœur aînée,*
> *Mieux qu'une sœur* [...]

Au milieu — *stat in medio virtus* — trône Jacques Robichez, tout emmitouflé de prudence : « [...] l'on se demande si l'imagination de Verlaine [...] n'a pas aussi, à partir d'une douce amitié, élaboré une passion romantique. Ainsi, entre les deux thèses extrêmes de Lepelletier et de Bornecque, peut-être y a-t-il place pour une interprétation moyenne qui tiendrait compte de l'extraordinaire variété du recueil [...]. C'est qu'il y a tous les Verlaine dans les *Poèmes saturniens*, de celui qui affecte des chagrins littéraires et se pâme pour des maîtresses imaginaires, à celui qui nous livre sur lui-même des confidences déjà essentielles. Encore ces confidences sont-elles multiples. Obsession de la mort, curiosité pour les images macabres [...], mais en même temps goût de la plaisanterie insouciante et de l'ironie [...]. Ailleurs le sourire s'efface devant les images mélancoliques, parfois devant celle d'Élisa. Et d'autres secrets affleurent que nous pouvons seulement entrevoir : timidité, découragement, dégoût de soi, expériences sexuelles médiocres ou inavouables[1]. »

A la parousie, l'ange qui est chargé du livre aux sept sceaux se débrouillera bien entre Bornecque et Robichez. Bien sûr, ce recueil, très artificiel, comporte une extrême variété de tons. Prendre tout au sérieux serait se jeter dans les collets tendus par le poète. Verlaine a joué, transposé et stylisé. Mais, je me demande si Verlaine lui aussi ne pourrait pas dire : *« Larvatus prodeo »* — le poète au masque, et si les *Poèmes saturniens* ne sont pas pour une bonne part le résultat d'un artiste camouflage. Prenons au hasard *Melancholia* : le sonnet 1 traduit des rêves sensuels où sans doute se mélange la masturbation, le sonnet 2 narre la merveilleuse découverte de l'amour pour Élisa, le sonnet 3 est une *Tristesse d'Olympio* en miniature (toujours pour Élisa), le sonnet 4, semble-t-il, transfigure des souvenirs de maison close avec la nostalgie d'Élisa dans le second tercet, le sonnet 5 décrit des « exercices pratiques » avec une maîtresse (réelle ou imaginaire) qui n'a rien de commun avec Élisa, le sonnet 6 idéalise Élisa, le seul être avec qui la transparence fût possible, etc. On voit le soin pris par Verlaine pour dérouter le lecteur.

Quelle est la valeur des *Poèmes saturniens* ? Les exercices d'apprenti ne manquent pas, mais certaines pièces déjà sont des réussites. *La Chanson des ingénues* et la *Nuit du Walpurgis classique* annoncent quelque peu les *Fêtes galantes*. *Croquis parisien* et *Effet de nuit* sont d'un pittoresque piquant — Verlaine aimait l'eau-forte[2] —. *Mon rêve*

1. Verlaine *Œuvres poétiques*, éd. J. Robichez, Paris, Garnier, 1969, pp. 17-18.
2. Cf. Baudelaire *L'Eau-forte est à la mode*, in : *Revue anecdotique*, 2 avril 1862.

familier (Melancholia) est un chef-d'œuvre, et la plupart des *Paysages tristes* annoncent une manière nouvelle de la poésie. Dans *Soleils couchants,* le poète renouvelle et assouplit l'art du pantoum. *Crépuscule du soir mystique,* par un tour de force rythmique, traduit une sorte de ravissement mystico-esthétique. *La promenade sentimentale* est elle aussi un tour de force rythmique, et de plus un aveu secret. *Chanson d'automne* est la première chanson verlainienne, dont la pénétrante musique traduit un désarroi profond. Dans *Le Rossignol* se mêlent intimement rêverie et paysage en une seule et unique métaphore. Ces très beaux poèmes contiennent l'essentielle confidence des *Poèmes saturniens* : le vertige d'un cœur dépossédé de lui-même.

Les *Poèmes saturniens* apportent déjà, pour une part, les prémices de l'art symboliste.

II

RÉACTIONS DE LA CRITIQUE ET DU PUBLIC

Nous sommes assez bien renseignés, tout au moins sur les réactions de la critique. Il faut distinguer a) Les caricatures; b) Les articles imprimés; c) La correspondance. On trouvera la documentation chez Charles Donos[1] et surtout Jacques-Henry Bornecque[2].

a) Une lithographie de Pearon[3] représente Verlaine en 1867 :

1. Donos (Charles) (pseud. de Léon Vanier) *Verlaine intime,* Paris, Léon Vanier, 1898.
2. J.-H. Bornecque *Les Poèmes saturniens de Paul Verlaine,* Paris, Nizet, 1967.
3. Reproduite dans *La Plume,* n° du 1er au 28 février 1896.

il traverse un cirque apocalyptique monté sur un squelettique
Pégase — allusion à *Cauchemar*;

   b) Barbey d'Aurevilly[1] traite Verlaine de « Baudelaire puri-
tain, combinaison funèbrement drolatique, sans le talent net de
M. Baudelaire » et achève par une pirouette — Charles
Bataille[2] s'excite sur le *Croquis parisien* (qu'il cite avec une gros-
sière coquille) et parle de « labourage rythmique, dur et sec ».
Ce critique « passionniste » ami d'Alphonse Daudet et donc
anti-parnassien achève sur une supplication : les extases « de la
nature m'emportent seules le cœur. La Musette de Mürger ne
brille pas par la richesse des assonances. Pourquoi nous est-
elle restée dans le fond du cœur, à tous? [...] Dites-nous des
bêtises, jeunes gens! des niaiseries sur échasses, plus! il n'en
faut plus! » Cette coquille incita Verlaine à envoyer à
M. le directeur du journal *Le Mousquetaire* une lettre ouverte,
assez sèche, pour corriger la faute — Anatole France, sous son
vrai nom Thibault[3], rend longuement compte de l'œuvre, qu'il
compare à une danse macabre du XVᵉ siècle : « C'est tour-
noyant, vertigineux, fou et grave. » De plus Verlaine est :
« Artiste comme un maître imagier, comme un ciseleur floren-
tin; patient et infatigable. » Anatole France n'en critique pas
moins la métrique du poète : « Son vers très savant gagnerait
souvent à plus de simplicité. Il fait des tours de force. La
muse comme une belle femme doit avoir le col flexible et les
reins souples, mais il est inutile qu'elle prenne à chaque instant ses talons avec ses dents, comme il est d'usage parmi les
acrobates. Le vers de M. Verlaine n'est pas souple, il est désar-
ticulé, sa coupe ordinaire devient la grande exception tant

---

1. *Le Nain jaune*, 7 novembre 1866.
2. *Le Mousquetaire*, 27 novembre 1866.
3. *Le Chasseur bibliographe*, février 1867.

l'auteur a de coupes nouvelles à sa disposition. » — Jules Janin[1] est fort dur. Il cite

Le Souvenir avec le Crépuscule

et commente : « Quand il voudra se prendre au sérieux et ne pas tant copier M. Baudelaire, on pourra lire avec un certain plaisir l'étrange effort de M. Paul Verlaine. » — Henri Nicolle[2] se gausse des formes sanskrites ou grecques fleurissant dans le *Prologue* et s'intéresse beaucoup à *La mort de Philippe II,* considérant cette pièce comme « une des plus remarquables du volume ». Il insiste longuement sur les poux de l'auguste mourant et conclut : « Les vers que j'ai signalés, tout pleins de petites bêtes qu'ils soient, et les autres plus ou moins saturniens, précieux dans une bizarrerie cherchée, sont — que M. Paul Verlaine nous permette de le lui dire — gourme de poète, mais de poète fort; maintenant qu'il l'a jetée, je l'attends à son second volume. »

G. Vapereau[3] parle de « l'affectation de bizzarerie dont les *Poèmes saturniens* sont marqués » et s'excite à nouveau contre *Croquis parisien.* Décidément ce malheureux *Croquis* a le don de polariser les critiques, puisque Charles Yriarte[4] en parle aussi en ajoutant par ailleurs une bonne remarque : « [...] par-ci par-là ce romantique de la dernière heure, qui doit avoir vingt ans, a rencontré la grâce :

Nous sommes les ingénues
[...]

Les *Poèmes saturniens* ont suscité une assez abondante correspondance. Banville[5] avoue : « Parmi vos poèmes, il en est qui me

1. *Almanach de la littérature, du théâtre et des beaux-arts,* 1868.
2. *L'Étendard,* 8 janvier 1867.
3. *L'Année littéraire et dramatique,* 1866.
4. *Le Monde illustré,* 17 novembre 1866.
5. Donos (Charles).

paraissent être de complets chefs-d'œuvre, d'autres que j'aime beaucoup moins : mais nulle part, vous ne tombez dans le vague, ni dans le chic, plus épouvantable encore. Peut-être vous étonnerai-je en vous disant que : *Jésuitisme, Femme et Chatte,* et *La Chanson des Ingénues,* trois pièces qui se suivent, sont parmi celles que je préfère à toutes les autres. Elles sont le produit d'une composition prodigieusement habile, l'image y est suivie sans défaillance... »

Jules de Goncourt[1] « consolait » Verlaine du médaillonnet de Barbey d'Aurevilly en ces termes : « Merci pour vos vers! [...]. Mélancolies d'artiste ciselées par un poète [...]. Vous avez ce vrai don : la rareté de l'idée et la ligne exquise des mots. Votre prière sur *La Seine* est un beau poème sinistre, mêlant comme une Morgue à Notre-Dame. Vous sentez et vous souffrez Paris et votre temps. » Le billet de Victor Hugo[2] n'est que du bavardage, mais Leconte de Lisle[3] manifeste autrement plus de finesse : « Vos *Poèmes* sont d'un vrai poète, d'un artiste très habile déjà et bientôt maître de l'expression. » Lefébure[4], très négatif, écrit à Mallarmé : « Verlaine est bien jeune et flottant encore : il flotte dans Baudelaire, pour prendre une comparaison indienne, comme un étendard dans le vent, et n'en est encore qu'au vers descriptif; toutes les impressions un peu mélancoliques ou crispées lui viennent des *Fleurs du mal,* avec les mots mêmes. »

Verlaine[5] envoie son livre à Mallarmé et, dans une lettre fort amicale et déférente, émet le vœu suivant : « J'ose espérer que

1. Donos (Charles).

2. *Id.* (photocopie dans Bibliothèque de M. Louis Barthou. Seconde partie, Paris, Blaizot, 1935, n° 892).

3. Donos (Charles).

4. Lettre du 30 décembre 1866, *apud* Mallarmé (Stéphane) : *Correspondance 1862-1871,* p. 236-237, 1; cf. aussi Henri Mondor : *Eugène Lefébure,* p. 238.

5. Mondor : *L'Amitié de Verlaine et de Mallarmé,* p. 18.

ces essais vous intéresseront et que vous y reconnaîtrez, sinon le
moindre talent, du moins un effort vers l'Expression, vers la
Sensation rendue [...] ». Mallarmé[1], perdu dans un déménage-
ment, lui répond longuement, affectueusement, et lui exprime
combien il est conscient du nouveau langage créé par son corres-
pondant : « [...] vous avez cru devoir commencer par forger un
métal vierge et neuf [...]. Vous vous êtes fait maintenant des
armes, que vous serez libre d'approfondir (elles ont parfois un
peu cet air d'audace qui ne sied si bien qu'à un premier volume.) »

Chez Sainte-Beuve[2] le critique et le poète se combattent au sujet
de Verlaine : « [...] Vous avez, comme paysagiste, des croquis et
des effets de nuit tout à fait piquants. Comme tous ceux qui sont
dignes de mâcher le laurier, vous visez *à faire ce qui n'a pas été fait.*
— Et maintenant je vous dirai au risque de paraître inconséquent
avec Joseph Delorme, un furieux oseur lui-même en son temps,
que je ne puis admettre certaines césures [...] : l'oreille la plus
exercée à la poésie s'y déroute et ne peut s'y reconnaître [...].
J'aime assez le *Dahlia*; j'aime surtout lorsque vous appliquez votre
manière grave à des sujets qui l'appellent et qui la comportent
(*César Borgia* et le *Philippe II*). Vous n'avez pas à craindre, par
endroits, d'être plus harmonieux et un peu plus agréable, comme
aussi un peu moins noir et moins dur, en fait d'émotions. Ne
prenons point ce brave et pauvre Baudelaire comme point de
départ pour aller encore au-delà. »

Au fond, l'impression est décevante. Certes, on a bien vu que
c'était un poète imbu de Baudelaire, inégal et débutant, aux
coupes singulièrement hardies. On a parfois pressenti les pro-
messes du recueil, mais pas un seul critique n'a saisi l'originalité

---

1. Mondor : *L'Amitié de Verlaine et de Mallarmé*, p. 21.
2. Sainte-Beuve : *Correspondance générale*, t. XV, 1866.

des *Paysages tristes*. Ce sont le *Croquis parisien* et les grandes « machines » parnassiennes ou pseudo-parnassiennes qui ont attiré les esprits. Seul Mallarmé semble avoir eu conscience du langage nouveau qu'avait forgé Verlaine.

Qu'on ne se fasse pas d'illusion sur ce déploiement — facile — d'érudition. Ce ne fut qu'un feu de paille, si feu et paille il y eut. Les 491 exemplaires des *Poèmes saturniens* demeurèrent vingt ans inaperçus et il fallut attendre le 7 janvier 1888 pour que Jules Lemaître[1], bien que dansant pieds nus sur des charbons ardents, comprît explicitement que certaines parties de ce livre avançaient de vingt ans sur le mouvement poétique.

III

MANUSCRITS ET VARIANTES

Dans le catalogue Blaizot pour la vente du 12 mars 1936 figure, sous le n° 188, un « recueil de poésies autographes, intitulé *Melancholia*, dédié à Ernest Boutier, 13 pages in-8° [...]. C'est le chapitre des *Poèmes saturniens* que nous connaissons, dans le même ordre, mais accru d'*Effet de nuit* et de *Grotesques* c'est-à-dire des *Eaux-fortes* IV et V. *Nevermore* I, *Mon rêve familier,* et *L'Angoisse* s'y présentent sous forme d'épreuves corrigées; *Lassitude* est reproduit en fac-similé [...]. »

Dans le catalogue du docteur Lucien-Graux, 4ᵉ partie (vente du 4 juin 1957), on lit au n° 118 : « *Poèmes saturniens*. Recueil

---

1. *Revue politique et littéraire. Revue bleue.*

contenant 18 poèmes autographes faisant partie de ce recueil et 3 épreuves corrigées, soit 31 pages de la main de Verlaine et 4 pages d'épreuves corrigées. » Le détail est le suivant : *Eaux-fortes* I : *Croquis parisien* et II : *Cauchemar*; *Paysages tristes* in-extenso I : *Soleils couchants*, II : *Crépuscule du soir mystique*, III : *Promenade sentimentale*, IV : *Nuit du Walpurgis classique*, V : *Chanson d'automne*, VI : *L'heure du berger*, VII : *Le rossignol*; *Caprices* I : *Femme et chatte*, II : *Jésuitisme*, III : *La Chanson des ingénues*, IV : *Une grande dame*, V : *Monsieur Prudhomme*, plus *Çavitri*, *Sub Urbe*, *Un dahlia Nevermore* II, *Il Bacio*.

Enfin dans le catalogue Charavay de mars 1961, on trouve au n° 28 111 *Après trois ans*. Il n'existe donc pas *un* manuscrit des *Poèmes saturniens*. Il va de soi que certaines pièces avaient déjà paru dans *Le Parnasse contemporain* et diverses revues littéraires.

Sans une bonne photocopie des pièces passées en vente — et notre liste n'est sûrement point exhaustive —, sans le dépouillement de toutes les revues, il n'est pas question d'établir une édition critique définitive des *Poèmes saturniens*[1].

Les corrections du poète sont d'un bonheur inégal. On ne peut que le féliciter de la suppression d'une strophe dans *La Chanson des ingénues*. Après la strophe 4, on lisait en effet :

> *Et nous parlons dans le style*
> *Qu'Eugène Scribe a trouvé*
> *— Grand homme! et qu'encor distille*
> *Monsieur Ernest Legouvé.*

— ce qui eût été une parfaite faute de goût, puisque nous sommes dans un XVIIIe siècle de rêve, et non pas au XIXe.

Inversement, on peut éprouver quelque regret quand, après la

---

1. Signalons néanmoins l'excellent travail de Jacques-Henry Bornecque : *Les Poèmes saturniens de Paul Verlaine*, Paris, Nizet, 1967, 255 p., illustr.

première strophe de *Croquis parisien,* on voit biffée la strophe suivante :

> *Le long des maisons, escarpe et putain*
> *Se coulaient sans bruit,*
> *Guettant le joueur au pas argentin*
> *Et l'adolescent qui mord à tout fruit.*

La prostitution s'étalait dans le Paris du Second Empire — il n'est que d'examiner les œuvres de Constantin Guys — et certainement de larges zones du Paris nocturne n'étaient pas plus sûres alors qu'elles ne le sont aujourd'hui.

Une simple curiosité rythmique : On lit dans *César Borgia :*

> [...] une plume
> *Élancée hors d'un nœud de rubis qui s'allume.*

Or ce hiatus « élancée hors » ne présente rien de révoltant. Pourquoi avoir écrit à Vanier en décembre 1887 de remplacer *Élancée* par *Émise,* sous prétexte qu'Anatole France avait fait remarquer, il y a quelque vingt ans, que le précédent vers « avait treize pieds »? Cet alexandrin n'était guère plus hardi que les autres.

Une chose reste certaine : Verlaine se corrigeait beaucoup, comme le prouve la première version du *Nocturne parisien,* tellement raturée que le poète renonça à la conserver.

FÊTES GALANTES

I

ÉTUDE LITTÉRAIRE

Les *Fêtes galantes* ont paru à compte d'auteur chez Alphonse Lemerre en 1869 (achevé d'imprimer 20 février; rééditions chez Vanier en 1886, 1891, 1896).

Nous ne savons exactement rien sur la genèse du recueil, sauf les publications dans les périodiques :

I *Clair de lune*, P 20 février 1867.
XV *Mandoline, id.*
V *A la promenade,* P 1er juillet 1868.
VI *Dans la grotte, id.*
VII *Les Ingénus, id.*
XVI *A Clymène, id.*
XXI *En sourdine, id.*
XXII *Colloque sentimental, id.*
VIII *Cortège,* P mars 1869.
XX *L'Amour par terre, id.*

Nous ne possédons guère qu'une certitude, c'est que simultanément Verlaine a écrit des vers d'un tout autre style. Mais il a trouvé la sagesse de les réserver à des revues et de ne pas briser l'unité, fort complexe déjà, des *Fêtes galantes*. Comme le suggère le désordre des numéros en chiffres romains, il ne semble pas que coïncident l'ordre de composition réel et celui du recueil, les motivations de Verlaine étant fort loin d'être claires, sauf une intention évidente, à préciser par la suite. *Clair de lune* et *Mandoline* semblent à peu près contemporains. Même remarque pour d'une part *A la promenade, Dans la grotte, Les Ingénus, A Clymène, En sourdine,* et *Colloque sentimental,* d'autre part *Cortège* et *L'Amour par terre.*

S'étonner que le poète ait pu consacrer tout un recueil aux grâces du XVIIIᵉ siècle, et spécialement de Watteau, Lancret et Pater, c'est méconnaître un mouvement esthétique bien mis en lumière par Seymour O. Simches dont voici quelques extraits : « C'est surtout de 1830 à 1860 que l'attention de ce public (français) a été attirée sur le raffinement du XVIIIᵉ siècle par de nombreux articles, essais et reproductions qui paraissaient souvent, non seulement dans les revues artistiques, mais aussi dans les journaux populaires du temps. Lorsque les Goncourt publièrent L'*Art du XVIIIᵉ siècle*[1], il n'y avait pas un seul aspect du goût esthétique de ce siècle qui n'eût été déjà mis en valeur (...) Quand la cour impériale fut organisée, l'art XVIIIᵉ devint presque un art officiel; on invitait des peintres à décorer l'appartement de l'impératrice aux Tuileries et à Saint-Cloud dans le style délicat de Boucher, et des scènes XVIIIᵉ étaient un *sine qua non* dans une maison élégante du Second Empire. Lorsque les Goncourt entrèrent en scène, le goût du XVIIIᵉ siècle était bien établi dans l'art du temps; il n'y avait ni raison ni nécessité de le faire revivre

1. Paris, Éd. Dentu, 1859-1875, 12 fasc. (fasc. I à 11 : 1860-1866).

[...]. En 1840, le xviiie était devenu un thème littéraire très à la mode, tout à fait comme l'avait été le Moyen Âge dix ans plus tôt[1]. »

Le recueil de Verlaine, comme celui des Goncourt (lu par le poète), est donc un couronnement, et non des retrouvailles. Il serait aisé de feuilleter des albums de gravures et de faire défiler, en bataillons serrés, les poètes qui retrouvèrent la poésie du xviiie siècle : Gérard de Nerval, Musset, Baudelaire (avec sa célèbre strophe des *Phares*), Gautier, Hugo (avec sa *Fête chez Thérèse,* dans *Les Contemplations,* poème su par cœur par Verlaine), Banville, Glatigny *e tutti quanti.* Il est bon de noter en outre la renaissance du goût pour les comédies du xviiie siècle : Banville a composé des arlequinades en vers pour son « Théâtre des Folies-Nouvelles ». L'influence de Marivaux est sensible (par exemple sur Musset). On a donc tendance à voir la Commedia dell'Arte dans l'optique du siècle précédent, c'est-à-dire mi-francisée. D'ailleurs Maurice Sand, fils de George Sand, publie sur la comédie italienne une première synthèse : *Masques et Bouffons*[2].

A première vue, l'interprétation du recueil ne semble pas soulever de difficultés majeures : c'est un recueil parnassien d'inspiration « impersonnelle », car les parnassiens, haïssant l'ère industrielle à eux contemporaine, ont tendance à se réfugier dans le passé. L'originalité de Verlaine, par rapport à Leconte de Lisle, aurait consisté à ne plus jouer au poète pasteur d'éléphants, et d'avoir laissé en paix les Kchatryas et les Lall-Bibis. Époque de grâce légère, toute vibrante d'ironie, le xviiie siècle convenait particulièrement à Verlaine. Il est vrai : le rythme extérieur du recueil est parnassien. Mais au risque de commettre un crime

---

1. *Le Romantisme et le goût esthétique du XVIIIe siècle,* Paris, P. U. F., 1964, 159 p. (cf. pp. 2, 3 et 4).
2. Paris, Michel-Lévy, 1860, 2 vol.

de lèse-esthétique et d'être aussi morne que du Mornet, nous tenons à revenir à la biographie et rappelons que 1868-1869 sont les années où Verlaine fréquente assidûment le salon d'une dame dont on savait comment elle avait cessé de se nommer, puisqu'elle était séparée de corps du comte Hector de Callias mais dont le vrai nom Anne-Marie-Claudine dite Nina Gaillard ou Nina de Villard demeurait un mystère. Baptisons-la d'office Nina de Callias, bonne musicienne, bohème, ouvrant ses portes aux poètes et aux bohèmes, qui pouvaient même trouver chez elle un matelas, tandis que les animaux familiers, chats, chiens et singes, se poursuivaient par-dessus les dormeurs. Demi-folle, atteinte de frigidité, et maîtresse d'un peu tout le monde, spécialement de Villiers de l'Isle-Adam et de Charles Cros, pour essayer de récupérer des capacités normales. Il serait naïf de chercher dans les *Fêtes galantes* un reflet direct de l'atmosphère canaille régnant chez Nina. Mais ces vers de *Lettre* :

> *Tout se comporte-t-il là-bas comme il te plaît,*
> *Ta perruche, ton chat, ton chien?* [...]

évoquent Nina et sa ménagerie.

Il ne saurait être question de construire tout un raisonnement sur deux vers, pas plus que de reconstituer les plaisirs nautiques de Verlaine d'après *En bateau,* bien que cette pièce puisse receler un souvenir. Ce qui est capital, c'est de comparer deux dates, 16 février 1867, mort d'Elisa, 20 février 1867, pré-publication de deux fêtes galantes, bien entendu écrites avant la mort d'Elisa. Je ne voudrais pas tomber dans le roman, mais la thèse de Jacques-Henry Bornecque est pour moi « une tentation des pires ». Comme Pindare commettait des hyper-dorismes, je ferai, moi, si j'ose dire, de l'hyper-Bornecque. Verlaine a aimé Elisa qui fut pour lui à la fois l'amante (au sens pur du mot), la grande

sœur et un peu la mère. Elisa, comme bien des femmes, d'abord
fut flattée de cet amour (platonique et romantique), puis, une
fois mariée, elle finit par se reprendre. Comparons *Nevermore* II
(*Poèmes saturniens*) :

> *Le Bonheur a marché côte à côte avec moi,*
> *Mais la FATALITÉ ne connaît point de trêve :*
> *Le ver est dans le fruit, le réveil dans le rêve,*
> *Et le remords est dans l'amour* [...]

avec *Circonspection* (*Jadis et Naguère*) paru dans *Le Hanneton* le
25 juillet 1867 :

> [...]   *Laissons faire à leur guise*
> *Le bonheur qui s'enfuit et l'amour qui s'épuise.*

Or *En sourdine,* publié dans *L'Artiste* le 1er juillet 1868, est mani-
festement apparenté à *Circonspection.* Il s'est donc passé quelque
chose et ce quelque chose a retenti sur l'âme de Verlaine. Avide
d'évasion, celui-ci s'est jeté dans le « divertissement » à la
Pascal, dont *Mandoline* est un écho, transfiguré bien entendu.
Et surtout, il a cherché un remède esthétique à son désespoir,
— une fuite de l'autre côté du miroir. *Clair de lune,* pièce d'une
absolue perfection, c'est l'extase esthétique d'un homme dont
l'âme est blessée à mort : ces masques sont « quasi tristes », ils
chantent « sur le mode mineur », « Ils n'ont pas l'air de croire
à leur bonheur », le clair de lune est « triste et beau ». Les *Fêtes
galantes,* c'est la tragédie d'un amour qui se meurt, qui est mort,
et une fuite éperdue vers l'extase esthétique, laquelle n'est qu'un
opium, un refuge vers les paradis artificiels de la beauté — comme
si la beauté pouvait remplacer la tendresse d'une femme!

Je n'insisterai pas sur *A Clymène,* paru après la mort d'Elisa et
qui a l'air d'un jeu de correspondances baudelairiennes, mais qui

malgré sa préciosité semble bien désigner Elisa — yeux bleus, visage pâli, voix musicale, ange défunt. Décidément le poète n'en peut plus, et le désespoir crève ces frêles toiles à la Watteau. *En sourdine* (je l'ai déjà signalé) traduit le désespoir muet de deux « amants » dont l'amour est impossible. Dans leur âme comme dans la nature, c'est la pénombre en attendant la tombée de la nuit. Bien sûr, ils s'aiment toujours, mais cette extase n'est plus que désespérance. Quant au *Colloque sentimental*, également postérieur à la mort d'Elisa, le poète s'y refuse même la consolation de la nature. Hanté spontanément par la mort, il se voit spectre comme aujourd'hui Elisa et il imagine leurs propos. Leurs âmes sont solitaires et glacées comme le vieux parc, et la femme, désespérée, n'a même plus gardé le souvenir de cet amour extatique. Tout est mort, la nature comme l'amour. Il paraît bien que *L'Amour par terre,* quoiqu'il ne s'agisse point d'Elisa dont l'œil n'était pas frivole, soit déjà une préparation

> [...]   *où le chagrin profond*
> *Évoque un avenir solitaire et fatal.*

Les *Fêtes galantes* ressemblent à un diptyque, s'ouvrant par la fuite derrière le miroir (la solution esthétique au chagrin d'amour) et finissant par un crescendo de désespoir où le miroir est comme fracassé par un invisible marteau. Quant au reste, c'est un mélange de fantaisies parfois sensuelles (dont les personnages sont empruntés à la Commedia dell'Arte ou à l'univers précieux) et d'allusions, devenues insaisissables à cause de cet astucieux camouflage. *Pantomine, Sur l'herbe, L'Allée,* sont des jeux, *A la promenade* en est un aussi, bien que Verlaine ait pu baiser la main d'Elisa, *Dans la grotte* est un pastiche précieux, *Les Ingénus* sont également un divertissement, mais où le poète rappelle la naissance de son amour, cette âme qui « depuis ce temps, tremble et s'étonne »,

Cortège, Les Coquillages, En patinant, Fantoches, Cythère, En bateau,
relèvent de la fantaisie, avec des touches sensuelles. *Le Faune* qui,
curieusement, est placé avant *Mandoline* (pièce composée du
vivant d'Elisa), présage

> [...]   *une suite*
> *Mauvaise à ces instants sereins*

comme pour neutraliser l'eudémonisme de *Mandoline*. Chose
étrange, *A Clymène*, destinée sans doute à Elisa, suit *Mandoline* im-
médiatement et surgit comme une stèle funéraire. *Lettre* s'adresse
à Nina, tout en évoquant (peut-être) Elisa — le poète, prudem-
ment, a interverti les couleurs des yeux, Nina ayant les yeux noirs,
Élisa les yeux bleus. Les *Indolents* et *Colombine* sont de la fantaisie, car
cette exquise mort des *Indolents* rappelle peut-être ce qu'on nomme
vulgairement « la petite mort ». Vient enfin le crescendo final.

J'ai parlé de jeux. C'est vrai. Jamais en effet le poète n'a conçu
l'idée de se suicider dans une grotte rococo. Mais ce qui est
frappant, c'est cette misogynie toute schopenhauérienne. Que
Verlaine pouvait-il en effet trouver chez Nina ou dans ses « diver-
tissements »? Des poupées sans cœur, ou des rebuffades. Oui, ce
fut « un sabbat! une fête! » — dont l'écho lointain retentit dans les
Fêtes galantes. Mais ce n'est pas au milieu d'une fête présidée par
une demi-folle et encore moins dans un « sabbat », qu'on peut
découvrir une femme profondément aimée.

Tel est le paradoxe des *Fêtes galantes.* Le rythme est parnassien,
l'inspiration profonde ne l'est pas. Ces pièces légères, au rythme
à la Gautier ou la Banville, cette tournoyante mascarade, recèlent,
sans doute, malgré leur évidente fantaisie, un drame secret, soi-
gneusement camouflé. En tout cas, c'est de beaucoup le recueil le
plus parfait, je dirais le plus exquis de Verlaine. On ne saurait
s'en lasser.

II

RÉACTIONS DE LA CRITIQUE ET DU PUBLIC

Henri Nicolle attendait Verlaine à son second volume. Bien sûr on relève quelques comptes rendus dans la presse. Nous tenons à transcrire in-extenso celui de Philippe Dauriac[1] : « Dans les *Fêtes galantes* de M. Paul Verlaine, l'esprit seul est de la fête. Esprit charmant d'ailleurs, d'une grâce et d'une originalité particulières. Vous trouvez dans ces petits morceaux, parfaits de ton et de forme, la sensation juste que donnent les tableaux de Lancret et de Watteau. Il semble que ce soit une gageure, et tous les gens de goût déclareront que M. Verlaine l'a gagnée. » Que ce compte rendu ait été imprimé, nous l'avons vérifié. Mais ce compte rendu qui ressemble fort à une prière d'insérer, est-il vraiment du citoyen Philippe Dauriac? Ce qui est inquiétant, c'est que la librairie Georges Heilbrun a fait paraître un catalogue[2] où on lit : « On y a joint un curieux autographe du poète, 15 lignes sur une feuille, copie d'un compte rendu élogieux des *Fêtes galantes,* paru dans Le *Monde illustré,* sous la signature de Philippe Dauriac. Peut-être Verlaine est-il lui-même l'auteur de ce compte rendu, comme il l'avait fait pour *Sagesse* (voir le n° 896 de la vente Barthou.) » — Je ne savais pas qu'on pût chauffer un encensoir au rouge. En tout cas l'expression « l'esprit seul est de la fête », qui est un parfait contresens, pourrait bien être un masque propre à dissimuler la véritable signification du recueil.

1. *Le Monde illustré,* 26 juin 1869.
2. Catalogue n° 2 (nouvelle série) : *Verlaine,* n° 11.

Verlaine avait — épistolairement — secoué avec vigueur son franc-maçon d'ami, Edmond Lepelletier, pour rendre compte de « ces fameuses et exquises *Fêtes Galantes*-là[1] », de cette « charminte fantaisie[2] ». Lepelletier finit par s'exécuter[3], et on lui doit une recension d'une écœurante platitude. Voici la seule phrase qui soit citable : « Le talent original de M. Paul Verlaine s'affirme davantage aujourd'hui dans un petit volume homogène et artistique, parfait d'un bout à l'autre par la conception et l'exécution. » — Il va de soi que les *Fêtes galantes* ne sont plus un livre de débutant et jouissent d'une rare perfection (les quelques « couacs » sont volontaires). On éprouve effectivement une impression d'homogénéité et toutefois, quand on y regarde de près, cette impression est fallacieuse : la préciosité ne se confond pas avec la Commedia dell'Arte, et Verlaine sait être réaliste, grivois, précieux, ou lyrique.

Le meilleur compte rendu contemporain est de Banville[4] : « Mais il est des esprits affolés d'art, épris de la poésie plus que de la nature, qui, pareils au nautonier de *L'Embarquement pour Cythère,* au fond même des bois tout vivants et frémissants rêvent aux magies de la peinture et des décors, qui, en entendant chanter le rossignol et murmurer le zéphyr, regrettent les accords des harpes et des luths, et qui, même dans les antres sauvages, dans les retraites sacrées des nymphes déchevelées et nues, veulent des Amintes et des Cydalises savamment coiffées et vêtues de longues robes de satin couleur de pourpre et couleur de rose! A ceux-là, je dirai : Emportez avec vous les *Fêtes galantes* de Paul Verlaine, et ce petit livre de magicien vous rendra, suave, harmonieux et

1. *Correspondance,* éd. Van Bever, t. I, p. 27.
2. *Correspondance,* t. I, p. 34 (sic).
3. *Le Nain jaune,* 5 août 1869.
4. *Le National,* 19 avril 1869.

délicieusement triste, tout le monde idéal et enchanté du divin
maître des comédies amoureuses, du grand et sublime Watteau
[...]. » Banville a bien vu que ce monde idéal était délicieusement
triste, mais il n'a pas senti la tristesse même de Verlaine.

La correspondance présente bien des lacunes. Mallarmé dut
recevoir les *Fêtes galantes,* dont il resta un admirateur comme le
prouve la lettre du 17 janvier 1881 : « [...] mon cher, les *Fêtes
galantes* sont un éternel bijou [...]. » Nous avons la lettre d'Albert
Glatigny, datée de Nice 1er juin 1869 :

« Mon cher Ami,

« Voilà ce que c'est que d'être impatient : il y a quinze jours,
j'ai payé, de mes deniers, les *Fêtes galantes,* chez Visconti. J'ai
même fait un article qui paraîtra dans *Le Phare du Littoral* [...].

« Je vous remercie de votre petit volume, qui est réellement
charmant. Je fais cadeau de mon premier exemplaire à une non
moins charmante femme[1] [...]. »

Le 16 avril 1869, de Hauteville House, Hugo accusa réception
avec son habituelle grandiloquence. Il est vrai qu'il avait béné-
ficié de la dédicace :

A Victor Hugo
Immense respect, immense admiration
P. Verlaine.

De cette viande creuse, on ne peut extraire que quelques mots,
qui prouvent que le faune Hugo était toujours en éveil : « Que
de choses délicates et ingénieuses dans ce joli petit livre les *Fêtes*

---

1. Cf. *Lettres inédites de Albert Glatigny* publiées par Victor Sanson, Rouen, 1932,
p. 167 (le livre ne se trouve qu'à la Bibliothèque municipale de Rouen). La
collection du *Phare du Littoral* étant incomplète, il est impossible de savoir si
l'article a paru. Je n'ai pas grande confiance dans les tout-fous érotomanes.

galantes! Les coquillages! quel bijou que le dernier vers[1]! » Le jugement de Rimbaud, lui[2], n'a rien de faunesque : « J'ai les *Fêtes galantes* de Paul Verlaine, un joli in-12 écu. C'est fort bizarre, très drôle; mais vraiment, c'est adorable. Parfois de fortes licences : ainsi,

Et la tigresse épou-vantable d'Hyrcanie

est un vers de ce volume. » — On voit que l'artiste est éveillé, mais qu'il n'a pas encore acquis les hardiesses de son génie.

Les *Fêtes galantes* n'ont pas été un succès et les 360 exemplaires de ce recueil ont mis du temps à s'écouler, mais il semble qu'elles se soient fruitées en vieillissant. Nous avons déjà cité le fragment de lettre de Mallarmé. Le jugement de Huysmans[3], dans *A Rebours* (1884), contient l'une des suggestions les plus pénétrantes sur ce recueil : « Mais sa personnalité résidait surtout en ceci : qu'il avait pu exprimer de vagues et délicieuses confidences, à mi-voix, au crépuscule. Seul, il avait pu laisser deviner certains au-delà troublants d'âme, des chuchotements si bas de pensées, des aveux si murmurés, si interrompus, que l'oreille qui les percevait, demeurait hésitante, coulant à l'âme des langueurs avivées par le mystère de ce souffle plus deviné que senti. Tout l'accent de Verlaine était dans ces adorables vers des *Fêtes galantes* :

> *Le soir tombait, un soir équivoque d'automne :*
> *Les belles, se pendant rêveuses à nos bras,*
> *Dirent alors des mots si spécieux, tout bas,*
> *Que notre âme, depuis ce temps, tremble et s'étonne.*

---

1. Dònos (Charles), p. 58. Il s'agit naturellement des *Coquillages*.
2. Lettre du 25 août 1870, in *Œuvres complètes*, Bibliothèque de la Pléiade, 1946, p. 243.
3. Édition Crès, 1922, p. 242-243.

Et quand *La Plume,* dans son numéro du 1er au 28 février 1896 lança son référendum : « Quelles sont les meilleures parties de l'œuvre de Paul Verlaine », elle obtint pour réponse : « *Sagesse a réuni 91 suffrages,* Fêtes galantes, *48,* Amour et Romances sans paroles, *31,* La Bonne Chanson, *27. Viennent ensuite :* Parallèlement, [...] Poèmes saturniens, Jadis et Naguère [...] » Adolphe Retté a deviné la mélancolie profonde du recueil : « Dans ses *Fêtes galantes,* Verlaine voudrait railler l'amour, cet amour qui le fera tant souffrir. Mais la tristesse l'emporte : il y a, semble-t-il, comme un pressentiment des angoisses futures dans le *Colloque sentimental* qui clôt le livre d'un sceau de larmes diamantines [...]. » En fait, il ne s'agit pas d'un pressentiment, il s'agit bel et bien, sous cette mascarade, d'un drame actuel.

Quoi qu'il en soit, dès 1896, Maurice Cartuyvels voit dans les *Fêtes galantes* « un collier de perles sans défaut », et Francis de Croisset y déchiffre « la mélancolie la plus profonde dans le rythme le plus sautillant » — Bien des poèmes futurs égaleront ou dépasseront ceux des *Fêtes galantes* mais, en tant que recueil, celles-ci ne seront point égalées en perfection.

III

MANUSCRITS ET VARIANTES

Pour établir le texte des *Fêtes galantes,* outre les prépublications et les éditions originales contemporaines, nous disposons de divers éléments : 1° *Beaux livres anciens et du XIXe siècle,* catalogue Pierre Chrétien, vente du 4 mars 1964, n° 93 : reproduction de *L'Amour par terre;*

2° Le manuscrit, reproduit en 1920 dans la collection « les Manuscrits des Maîtres » Paris, Messein : le manuscrit proprement dit comporte 56 pages dont 26 manuscrites, 2 constituées d'épreuves corrigées *(Clair de lune, Mandoline)*, 2 entièrement typographiées par l'éditeur *(A la promenade)*. L'original a appartenu à Stefan Zweig. En 1962 il était la propriété de Mme Alberman, héritière de Zweig. C'est dire que l'original de cet extraordinaire chef-d'œuvre est sans doute perdu pour le patrimoine français;

3° Un jeu d'épreuves de ce volume, portant des corrections autographes, est conservé à la Bibliothèque Jacques Doucet.

Le manuscrit proprement dit est probablement un manuscrit « définitif », mais il n'en comporte pas moins d'importantes variantes[1]. Dans sa bonne édition, Jacques Robichez[2] a présenté une pertinente synthèse concernant les variantes[3] : « *Effet de certaines variantes. Verlaine, corrigeant son texte primitif, obéit quelquefois à des préoccupations d'euphonie (Dans la Grotte; Les Coquillages; Colloque sentimental). Un simple changement de temps peut alléger le vers (Mandoline). Un effet analogue est obtenu par la suppression d'un article dans un titre : on sent toute la grâce et le pimpant de Cortège rapproché de Le Cortège (on remarquera combien dans le manuscrit sont nombreuses les hésitations sur les titres). Ailleurs, c'est une équivoque grivoise qui est évitée (Sur l'herbe), ou une impropriété (L'Amour par terre). Plus souvent une touche de préciosité (Dans la grotte) ou d'archaïsme (Dans la grotte; Lettre) est ajoutée à la faveur d'une correction [...]. Ainsi, dès cette époque, se manifestent à l'évidence en Verlaine, un*

---

1. Signalons l'excellente édition critique de Jacques-Henry Bornecque : *Lumières sur les Fêtes galantes de Paul Verlaine*, Paris, Nizet, 1969, 189 p.

2. Éditeur de : Verlaine *Œuvres poétiques*, Paris, Garnier, 1969, 807 p.

3. P. 723.

goût très sûr, une science délicate de la nuance, et, si l'on se rappelle par comparaison les *Poèmes saturniens,* une maîtrise désormais sans défaillance. »

Voici les illustrations :

Dans la grotte. Mais même, ai-je / Ai-je même
Les Coquillages. Quand je brûle et / quand / que tu t'enflammes
Colloque sentimental. Comme mon cœur bat à ton nom seul? / Toujours vois-tu mon âme en rêve?
Mandoline. Qui pour mainte Cruelle / a fait / fait maint vers tendre

Hésitations sur les titres :

« Pantomime » / « En a-parte » / « Pantomime ».
« A Clymène » / « Dans la Grotte ».
« Les quatre saisons » / « Sur la glace » / « En patinant ».
« Fantoccini » / « Fantoches ».
« Chanson d'amour » / « Galimathias *(sic)* double » / « A Clymène ».
Sur l'herbe. Çà, baisons / Embrassons / nos bergères
L'Amour par terre. Se lit péniblement / grâce à / parmi l'ombre
Dans la Grotte (préciosité). Mit tant de Scipions et de / Césars / Cyrus à bas
Ibid. (archaïsme) / Sont des agnelles près de / Est une agnelle au prix de / vous

Signalons enfin une merveilleuse variante :

> *Et leur chanson se mêle au clair de lune,*
> *Au calme clair de lune / de Watteau / triste et beau,*

— Anatole France ayant demandé avec ironie à Verlaine où il avait vu des clairs de lune chez Watteau. Ce syntagme baudelairien « triste et beau » transfigure le poème.

LA VIE ET L'ŒUVRE
DE PAUL VERLAINE

Origines

Paul-Marie Verlaine naquit, au hasard d'une garnison, le 30 mars 1844 à Metz, de Nicolas-Auguste Verlaine, capitaine-adjudant major au 2ᵉ Régiment du Génie, originaire de Bertrix, près de Paliseul, dans le Luxembourg belge, et de Stéphanie Dehée, d'une famille originaire de l'Artois. Verlaine, cet enfant longtemps désiré, sera toujours un homme du Nord, donc des plaines, avec des affinités belgo-luxembourgeoises. Parents aisés, malgré de graves déconvenues financières, et parents faibles, la mère en particulier — le père mourra le 30 décembre 1865. Quelques ancêtres inquiétants. En 1851, le capitaine Verlaine démissionne et s'installe à Paris. Paul, bourgeois de gauche, suit des études littéraires passables — il saura un peu de latin et lira beaucoup de français, « en diagonale ». Il traverse une adolescence fort trouble et commence à écrire des vers. Le 16 août

1862, il est reçu bachelier, sans éclat particulier, et passera une partie de ses vacances à Lécluse, chez sa cousine Élisa Dujardin, mariée et plus âgée que lui, et probablement le grand amour de sa vie.

Débuts littéraires

Il commence à boire, et en août 1863 publie *Monsieur Prud-homme* dans la *Revue du Progrès moral* de son ami Louis-Xavier de Ricard, qui l'initie à l'art des « parnassiens ». En mai-juin 1864 le poète est nommé expéditionnaire dans les bureaux de la ville de Paris. En fin d'année, il pénètre dans un second cercle littéraire, celui de Catulle Mendès (où il rencontrera Glatigny). Dès 1865 il est déjà lancé dans la littérature. Chez Alphonse Lemerre, le poète collabore au *Parnasse contemporain* (première livraison 1866). Élisa fournit l'argent pour la publication des *Poèmes saturniens* (1866).

Autour des « Fêtes galantes »

Verlaine change d'inspiration et se tourne vers un XVIIIe siècle de rêve (centré autour de Watteau et de ses imitateurs). Le 16 février 1867, Élisa meurt à Lécluse et le poète noie son chagrin dans l'alcool. Le 25 février 1867, il commence à collaborer au *Hanneton* d'Eugène Vermersch, le futur communard. Il poursuit la veine du XVIIIe siècle — sorte de fuite dans le miroir —, et compose parallèlement des poèmes « réalistes ».

Des bas-fonds jusqu'à la « conversion » au bien

En fin décembre 1867, Poulet-Malassis, l'éditeur de Baude-laire, publie sous le manteau, à Bruxelles, *Les Amies, scènes d'amour sapphique,* signées Pablo Maria de Herlagnez. Le recueil sera condamné par le tribunal de Lille en 1868, la première année où Verlaine fréquente les folles soirées de Nina de Villard (ci-devant de Callias) où il fait la connaissance de Manet. Le poète se trouve en pleine crise, éthylique et homosexuelle (Lucien Viotti), mais en juin 1869, étant venu voir le musicien Charles de Sivry, il rencontre la demi-sœur de celui-ci, Mathilde Mauté, dite de Fleurville, âgée de seize ans, et s'en éprend. Autorisé à faire sa cour, il commence à envoyer à Mathilde Mauté, en Normandie, les poèmes de la future *Bonne Chanson* et tente péniblement de s'amender. Le 10 juillet 1869 Verlaine publie les *Fêtes galantes* tout en travaillant aux *Vaincus,* recueil d'inspiration socialiste. En 1870, il achève *La Bonne Chanson* qui ne sera mise en vente qu'en 1872.

Sous le signe de Rimbaud

Le 19 juillet 1870, la guerre est déclarée à la Prusse, le 11 août Verlaine épouse Mathilde, le 4 septembre la République est proclamée. Pendant le siège de Paris, Verlaine s'engage, affecté au 160e bataillon de marche de la garde nationale. Reprenant l'habitude de boire, il commence à brutaliser Mathilde. Le bombardement de Paris est suivi, en fin janvier 1871, d'un armis-tice, mais le 18 mars éclate la Commune : Verlaine devient chef du bureau de la presse. Après la répression, il s'abstient de retourner à l'Hôtel de Ville. Vers le 10 septembre 1871, sur l'invitation de

Verlaine, Rimbaud débarque chez les Mauté, rue Nicolet, qui sont scandalisés de son attitude et s'en débarrassent vers le 25 septembre. Rimbaud est alors logé par des amis de Verlaine. Il fait à nouveau scandale en fin janvier 1872 lors du dîner des « Vilains Bonshommes ». Malgré la naissance du petit Georges, fils du poète (30 octobre 1871), Verlaine se transforme en brute éthylique si bien qu'en février 1872, M. Mauté entame une procédure en séparation. Aux alentours de mai-juin 1872, sous l'influence de Rimbaud, Verlaine compose la plupart des *Ariettes oubliées (Romances sans paroles)*. Le 8 juillet 1872, Verlaine et Rimbaud quittent définitivement Paris, et de Charleville se rendent à Bruxelles. Le 21 juillet 1872 Mathilde part pour Bruxelles dans l'espoir — déçu — de reconquérir le poète. Rimbaud et Verlaine ne cessent de vagabonder ensemble ou seuls (Belgique — Londres — Luxembourg belge). Le 19 mai 1873, Verlaine envoie le manuscrit des *Romances sans paroles* à son ami Lepelletier. Après une scène violente avec Rimbaud, le poète, en juillet, s'enfuit à Bruxelles où Rimbaud vient le rejoindre.

La « conversion » à Dieu

Verlaine tire sur son compagnon le 10 juillet 1873 et se voit condamner à deux ans de prison. Il est transféré à Mons. Les *Romances sans paroles* paraissent « à la sauvette » en 1874. Brochant sur le tout, le 24 avril 1874, un jugement du Tribunal de la Seine prononce la séparation de corps entre Verlaine et sa femme, et confie à Mathilde la garde de l'enfant. En mai, tenu au courant, Verlaine se « convertit ». Il profite de son séjour forcé pour écrire de la poésie, par accès, et pour lire spécialement de l'anglais. Il devient royaliste et réactionnaire. Libéré le 16 janvier 1875, il a une entrevue avec Rimbaud à Stuttgart, puis enseigne en Angleterre où il mène une vie relativement digne (Stickney, Boston, Bournemouth). En 1875, il a terminé un nouveau recueil, *Cellulairement,* qu'il démembrera par la suite.

Le retour des vieux démons

En octobre 1877, il enseigne à l'institution Notre-Dame de Rethel, mais il recommence à boire et se prend d'une trop vive amitié pour un élève, Lucien Létinois, ce qui ne l'empêche pas, en 1878, de revoir deux fois son fils et de tenter, en vain, de renouer avec Mathilde. En 1879, il passe en Angleterre avec Lucien Létinois, puis en 1880, il s'installe avec lui dans une ferme de Juniville. Parution, à compte d'auteur, de *Sagesse* (début décembre 1880). En 1882, Verlaine liquide la ferme de Juniville et retourne à Paris, où il renoue avec quelques-uns de ses anciens amis, entre en liaison avec son futur éditeur Léon Vanier, et commence à se faire connaître. Le 7 avril 1883 Lucien Létinois meurt de la typhoïde. A partir de l'automne 1883, le poète vit à Coulommes où il mène une existence des plus scandaleuses. Le 3 janvier 1885, *Jadis et Naguère* paraît chez Vanier. Le 8 mars 1885, la propriété de Coulommes est vendue à perte.

Verlaine « écrit sous lui »

Après un mois de prison à Vouziers (13 avril-13 mai 1885) pour coups et menaces de mort contre sa mère, après avoir vagabondé, Verlaine se réinstalle à Paris à peu près ruiné. Il ne cessera plus d'être un malade hantant les hôpitaux jusqu'à la fin de sa vie —

cure à Aix-les-Bains du 19 août au 14 septembre 1889 –. Le 21 janvier 1886, il perd sa mère, en avril ou mai il fait la connaissance du dessinateur Cazals. La gloire de Verlaine ne cesse de croître, malgré des heures de noire misère, et des bandes de ratés, de médiocres ou d'arrivistes cherchent à se réclamer de lui. A partir de 1890-1891, il s'acoquinera avec des « chères amies » (Philomène Boudin et Eugénie Krantz). En 1893, tournées de conférences en Hollande, en Belgique, en Lorraine, en Angleterre. Le 4 août de cette année, il a le front de poser sa candidature à l'Académie française. Le 9 août 1894, il reçoit un premier secours de 500 F du ministère de l'Instruction publique, le même mois, il est élu Prince des poètes à la mort de Leconte de Lisle.

Il meurt le 8 janvier 1896, après avoir publié maints recueils pour une très large part « alimentaires » : *Amour* (1888), *Parallèlement* (1889), *Femmes* (1891), *Dédicaces* (1890), *Bonheur* (1891), *Chansons pour elle* (1891), *Liturgies intimes* (1892), *Odes en son honneur* (1893), *Élégies* (1893), *Dans les Limbes* (1894), *Épigrammes* (1894), *Chair* (1896), *Invectives* (1896) – publication posthume –. A noter parmi les œuvres en prose *Charles Baudelaire* (1865), *Les Poètes maudits* (1884-1888), *Les Mémoires d'un veuf* (1886), *Histoires comme ça* (1888-1890), *Les Hommes d'aujourd'hui* (1885-1893), *Mes prisons* (1893), *Confessions* (1895).

C. CUÉNOT
Docteur ès lettres.

TABLE

POÈMES SATURNIENS

PROLOGUE

MELANCHOLIA

EAUX-FORTES

PAYSAGES TRISTES

CAPRICES

TABLE   219

ÉPILOGUE

FÊTES GALANTES

NOTES ET COMMENTAIRES

IMPRIMÉ EN FRANCE PAR BRODARD ET TAUPIN
Usine de La Flèche (Sarthe).
LIBRAIRIE GÉNÉRALE FRANÇAISE - 6, rue Pierre-Sarrazin - 75006 Paris.

ISBN : 2 - 253 - 00625 - 4   ✥ 30/0747/3